D0545625

COPENHAGUE
EN QUELQUES JOURS

CRISTIAN BONETTO
MICHAEL BOOTH

Copenhague en quelques jours

1re édition, traduit de l'ouvrage Copenhagen Encounter (2nd edition), April 2011

©Lonely Planet Publications Pty Ltd 2011
Tous droits réservés

Traduction française :

© **Lonely Planet** 2011
© **Place des éditeurs** 2011
12 avenue d'Italie, 75627 Paris Cedex 13
☎ 01 44 16 05 00
🖳 bip@lonelyplanet.fr
🖳 www.lonelyplanet.fr

Dépôt légal : Avril 2011
ISBN 978-2-81610-892-7

Responsable éditorial Didier Férat
Coordination éditoriale Marie Barriet-Savey
Coordination graphique Jean-Noël Doan
Maquette Denis Montagner
Cartographie Caroline Sahanouk
Couverture Jean-Noël Doan et Alexandre Marchand
Traduction Ségolène Busch et Évelyne Doan
Merci à Françoise Blondel pour son travail sur le texte.

Imprimé par L.E.G.O. Spa
(Legatoria Editoriale Giovanni Olivotto)
Imprimé en Italie
Réimpression 03, janvier 2013

FSC
MIXTE
Papier
FSC® C003309

En
Voyage
Éditions

place
des
éditeurs

COMMENT UTILISER CE GUIDE
Codes couleur et cartes

Des symboles de couleur représentant les sites et les établissements figurent dans les chapitres. Pour permettre de les localiser rapidement, ils sont reportés sur les cartes correspondantes. Les restaurants, par exemple, sont indiqués par une fourchette verte.

À chaque quartier correspond aussi une couleur spécifique, reprise dans les onglets du chapitre qui lui est consacré.

Les zones en jaune sur les cartes désignent des "secteurs dignes d'intérêt" (sur le plan historique ou architectural, ou encore en raison de la présence de bars et de restaurants, etc.). Nous vous conseillons vivement de les explorer.

Prix

Les différents prix indiqués (par exemple 10/5 DKK ou 10/5/20 DKK) correspondent aux tarifs adulte/enfant, normal/réduit ou adulte/enfant/famille.

Vos réactions ? Vos commentaires nous sont très précieux et nous permettent d'améliorer constamment nos guides. Notre équipe lit toutes vos lettres avec la plus grande attention et prend en compte vos remarques pour les prochaines mises à jour.
Pour nous faire part de vos réactions, prendre connaissance de notre catalogue et vous abonner à Comète, notre lettre d'information, consultez notre site web : **www.lonelyplanet.fr**

Nous reprenons parfois des extraits de notre courrier pour les publier dans nos produits, guides ou sites web. Si vous ne souhaitez pas que vos commentaires soient repris ou que votre nom apparaisse, merci de nous le préciser. Pour connaître notre politique en matière de confidentialité, connectez-vous à : **www.lonelyplanet.fr/confidentialite/index.cfm**

CRISTIAN BONETTO

C'est son faible pour le design épuré, la cuisine inventive et les silhouettes sportives qui a attiré Cristian Bonetto à Copenhague. Aujourd'hui, cet auteur de guide de voyages et dramaturge australien s'émerveille encore de pouvoir nager dans les canaux du centre sans être couvert de boutons ni être taxé de fou. Ici, tout le fascine : les politiques écologiques progressistes, le taux élevé de sublimes créatures, l'avant-gardisme en cuisine, en art et en mode. Ancien scénariste de "soap", ses réflexions sur le voyage, les tendances et la culture populaire

sont parues dans des publications australiennes, britanniques et italiennes. Quand il n'est pas dans la capitale danoise, Cristian parcourt la Suède, l'Italie ou New York à la recherche d'un bon expresso, du dernier chic bon marché ou du cliché parfait à poster sur Facebook. Il a déjà participé à plus de dix titres Lonely Planet, dont *Rome En quelques jours*, *Naples et la côte amalfitaine*, *Sweden* et *Discover Italy* (non traduits en français).

PHOTOGRAPHE

Jonathan Smith a grandi dans les Highlands, en Écosse. En 1994, il sort de l'Université de St Andrews titulaire d'un diplôme d'allemand. N'ayant pas trouvé sa vocation, il s'envole pour Vilnius et passe les quatre années suivantes à sillonner l'ex-URSS. Après avoir testé différentes activités comme l'enseignement des langues ou la traduction de livres de cuisine lituaniens en anglais, Jon tente sa chance en tant que photographe de voyage free-lance. Il a travaillé sur plus de 50 titres Lonely Planet.

Photo de couverture À vélo à Copenhague, Panoramic Images/Getty Images. **Photos intérieures** p. 24, p. 28, p. 30, p. 105, p. 115, p. 153 Christian Alsing/Wonderful Copenhagen (WoCo) ; p. 17 Susan Anderson/Getty Images ; p. 151, p. 157 Morten Bjarnhof/(WoCo) ; p. 106 The Coffee Collective ; p. 68 Marco Cristofori/Alamy ; p. 23 Ireneusz Cyranek/(WoCo) ; p. 88 Thomas Evaldsen ; p. 48 Rainer Hosch ; p. 97 Ditte Isager ; p. 137 Gunter Lenz/Nordicphotos/Alamy ; p. 14 Niels Poulsen Mus/Alamy ; p. 123 Kenneth Nguyen ; p. 130 Jon Nordstrom/Granola Food Company ; p. 22 SMK Photo ; p. 162 Magnus Ragnvid/(WoCo) ; p. 26, p. 76, p. 155 Cees Van Roeden/(WoCo) ; p. 47 Radisson SAS Royal/(WoCo) ; p. 149 The Square/(WoCo) ; p. 44 Tivoli/(WoCo) ; p. 20 Louise Wilson/Getty Images ; p. 61 Alastair Wiper/Henrik Vibskov ; p. 27, p. 29, p. 57, p. 75, p. 148 (WoCo). Toutes les autres photos sont de Lonely Planet Images et de Jonathan Smith, sauf p. 65, p. 140 Anders Blomqvist ; p. 36 Christer Fredriksson ; p. 70, p. 83, p. 85, p. 136, p. 150 Martin Llado ; p. 160 Martin Moos.

SOMMAIRE

L'AUTEUR	3
BIENVENUE À COPENHAGUE	7
LES INCONTOURNABLES	8
AGENDA	23
ITINÉRAIRES	31
LES QUARTIERS	36
> RÅDHUSPLADSEN ET TIVOLI	40
> STRØGET ET SES ENVIRONS	50
> SLOTSHOLMEN	72
> DE NYHAVN AU KASTELLET	78
> CHRISTIANSHAVN ET ISLANDS BRYGGE	92
> NØRREBRO ET ØSTERBRO	102
> DE NØRREPORT À ØSTERPORT	116
> VESTERBRO ET FREDERIKSBERG	126
EXCURSIONS	137
> MALMÖ	138
ZOOM SUR...	146
> ARCHITECTURE	148
> VÉLO	150
> ENFANTS	151
> HYGGE	152
> SHOPPING	153
> MUSIQUE	154
> JAZZ	155
> SAISONS COPENHAGUOISES	156
> COPENHAGUE ROMANTIQUE	157
> CUISINE TRADITIONNELLE	158
> NOUVELLE CUISINE	159
> COPENHAGUE GAY ET LESBIEN	160
HIER ET AUJOURD'HUI	161
HÉBERGEMENT	169
CARNET PRATIQUE	175
INDEX	187

Pourquoi les guides Lonely PLanet jouissent-ils d'une réputation exceptionnelle ? La réponse est simple : nos auteurs sont des passionnés de voyage qui travaillent en toute indépendance et ne bénéficient d'aucune rétribution en échange de leurs commentaires. Ils ne se contentent pas d'Internet ou du téléphone, mais parcourent les quatre coins du monde et visitent tous les sites, des plus populaires aux moins fréquentés. Soucieux de communiquer des renseignements précis et fiables, ils se rendent en personne dans des milliers d'hôtels, de restaurants, de cafés, de bars, de galeries, de palais et de musées.

BIENVENUE À COPENHAGUE !

Il serait faux de croire que la capitale danoise
est réservée aux escapades de courte durée :
la ville englobe dans son cœur historique
un millénaire d'histoire et de culture.

Copenhague est la plus cosmopolite et la plus accessible de toutes
les capitales scandinaves. Havre urbain de paix, de culture et de
convivialité, elle abrite des musées intéressants, des galeries d'art, des
monuments uniques ainsi que d'innombrables rues anciennes et de
charmants quartiers où il fait bon flâner. Propreté, efficacité, sécurité
et infrastructures irréprochables : ces attributs qui offrent, dit-on, à ses
habitants (1 300 000) l'une des meilleures qualités de vie au monde,
jouent aussi en faveur du visiteur.

   La ville est remarquablement compacte et il est facile de s'y repérer. Vous
pouvez la traverser à pied en une matinée, ou vous déplacer rapidement
grâce à l'excellent réseau de métro et de bus. Autre option : passer une
heure à parcourir des quartiers comme Ravnsborggade ou Elmegade, ou
une après-midi à faire la connaissance des habitants dans un agréable café.

   Mais là où la "cité royale" excelle vraiment, c'est dans le mariage du neuf
et de l'ancien. Si les maisons à pignons du XVIIe siècle, les places pavées, les
canaux et les flèches de cuivre vert en définissent l'esthétique, l'architecture
radicale, les nouvelles tendances et, bien sûr, le fameux sens du design
transparaissent partout. Copenhague ayant largement résisté à la tyrannie
des grandes chaînes, ses boutiques indépendantes, notamment de design
d'intérieur et de mode, contribuent beaucoup à son attrait.

   Et pour qui recherche une expérience féerique, le Danemark est
l'endroit rêvé. Hans Christian Andersen (1805-1875) a vécu presque toute
sa vie à Copenhague. L'architecture et l'ambiance qui l'ont inspiré ne
manqueront pas de vous envoûter également.

En haut à gauche Un café de la Sankt Hans Torv, Nørrebro (p. 18) **En haut à droite** Antiquaire à Nørrebro (p. 105)
En bas Statue de lion veillant sur l'aile moderne de la Kongelige Bibliotek (p. 75), Slotsholmen

>LES INCONTOURNABLES

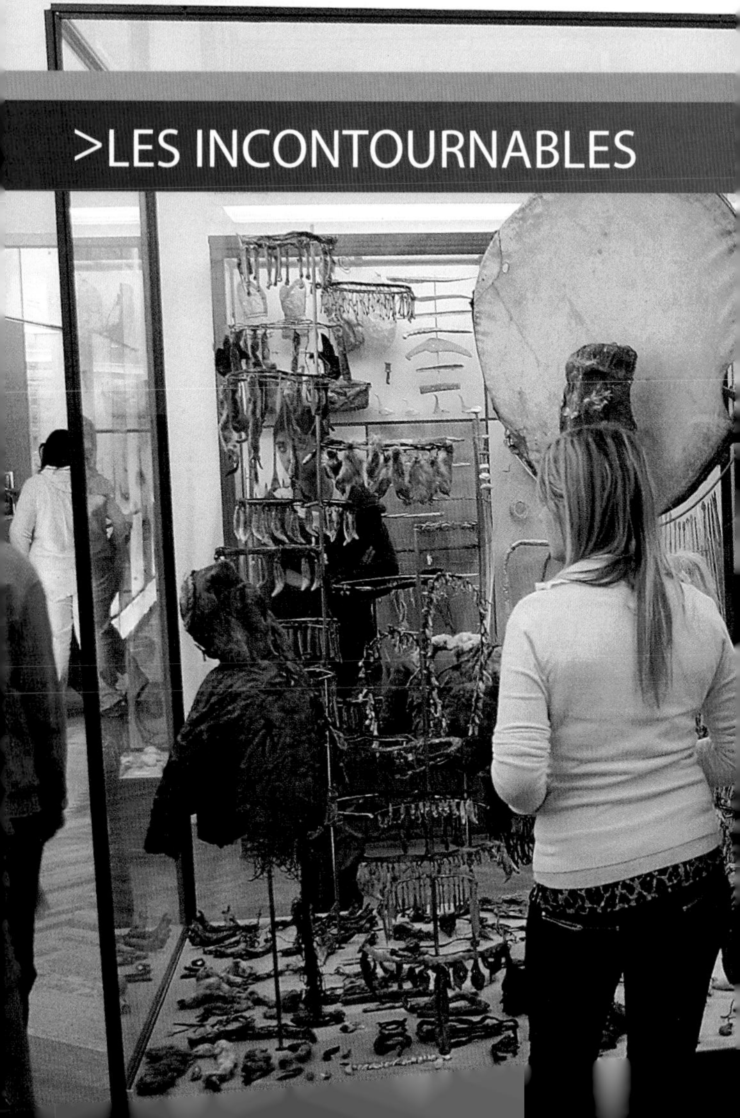

> 1 Tivoli, l'attraction touristique la plus prisée
du Danemark, pour petits et grands 10

> 2 L'impressionnante Rundetårn et sa vue imprenable
sur le cœur médiéval de la ville 11

> 3 La communauté de Christiania, "ville libre"
au cœur de Copenhague 12

> 4 Louisiana, le majestueux musée d'Art moderne,
au bord du détroit d'Øresund 14

> 5 Les joyaux de la Couronne et le trésor royal
du château de Rosenborg 15

> 6 Le Musée national, pour tout savoir
sur les Vikings 16

> 7 La fameuse tartine danoise, célèbre
dans le monde entier 17

> 8 Les boutiques branchées
et la vie nocturne animée de Nørrebro 18

> 9 Le design made in Danemark 19

>10 Le meilleur de la musique, du smooth jazz à l'indie
pop, aux festivals les plus animés de Copenhague 20

>11 La merveilleuse collection d'art
du Statens Museum for Kunst (Galerie nationale) 22

Exposition Groenland au Nationalmuseet (p. 16)

>1 JARDINS DE TIVOLI

L'ATTRACTION TOURISTIQUE LA PLUS COURUE DU DANEMARK, POUR PETITS ET GRANDS

En plein centre-ville, la première destination touristique du Danemark offre un mélange attrayant de parterres floraux, de manèges, de *beergarden* et de restaurants. Selon votre humeur, vous serez soit séduit par l'architecture fantaisiste, les théâtres et les salles de concert, les lacs où l'on peut canoter, les feux d'artifice, les installations lumineuses spectaculaires et les manèges découffants (montagnes russes courtes mais terrifiantes), soit écœuré par cette manifestation excessive de kitsch. En été, il est conseillé de s'y rendre le vendredi, lorsque des groupes se produisent sur la scène en plein air. Parfois, des stars internationales (Sting, Brian Wilson, Tony Bennett) y jouent gratuitement ; venez tôt pour trouver une bonne place.

Tous les soirs, Tivoli ravit ses visiteurs avec un merveilleux spectacle de jets d'eau, de sons et lumière. Au début et à la fin de la saison estivale, et le 15 août (anniversaire de Tivoli), ses célèbres feux d'artifice illuminent le ciel nocturne. Voir sur www.tivoli.dk pour les horaires et p. 44.

>2 RUNDETÅRN

UNE VUE IMPRENABLE SUR LE CŒUR MÉDIÉVAL DE LA VILLE

Une rampe pavée en colimaçon, unique en son genre, grimpe jusqu'au sommet de cette "tour ronde" en brique rouge, haute de 34,8 m. En l'empruntant, vous marcherez sur les traces de Christian IV, célèbre roi danois de la Renaissance qui la fit ériger en 1642, et du cheval du tsar Pierre le Grand (une voiture y serait même montée en 1902). De là, la vue sur la ville (photo ci-dessus) n'a guère changé depuis l'ascension de Pierre en 1716 et c'est l'endroit idéal pour s'y repérer.

Christian avait fait construire la Rundetårn, rattachée à la Trinitatiskirke (église de la Trinité), pour servir d'observatoire au célèbre astronome Tycho Brahe. Aujourd'hui, elle reste une excellente plate-forme d'observation des étoiles et le plus ancien observatoire en fonctionnement d'Europe (ouvert au public toute l'année). Sur la façade extérieure, on peut voir une inscription commémorative. Tout en haut, dans une grille en fer forgé, les lettres RFP symbolisent la devise de Christian IV : *Regna Firmat Pietas* ("La piété fortifie les règnes").

À mi-chemin de la rampe, une salle accueille des expositions temporaires d'art et d'architecture. Voir aussi p. 55.

>3 CHRISTIANIA
UN BASTION ALTERNATIF AU CŒUR DE COPENHAGUE

Après 37 ans de résistance, la communauté alternative la plus célèbre d'Europe a fléchi : en septembre 2007, les anciens de Christiania ont ratifié un traité prévoyant la cession sur dix ans de leur territoire au gouvernement. Cet accord sonne le glas de la "commune libre" qui, derrière ses murs couverts de graffitis, est restée indépendante du Danemark, de l'UE et de la société de consommation pendant près de quarante ans.

Si ses jours sont comptés, ce village utopiste tout de bric et de broc reste l'une des expériences les plus extraordinaires de Copenhague. Il abrite une population hétéroclite de pionniers de la contre-culture bourrés de principes : artisans, écolos, vieux hippies et, il faut bien l'admettre, alcooliques et drogués.

En 1971, les squatteurs militants qui ont fondé la communauté en occupant des casernes désaffectées au cœur de Christiania auraient très bien pu être qualifiés de "marginaux". Mais de nos jours, leurs idées autrefois radicales sur le recyclage, la nourriture bio, l'amour

libre et les drogues sont reprises par une majorité. Quelle est donc la raison d'être de Christiania aujourd'hui ? À Copenhague, nombreux sont ceux qui veulent l'abolir, et les promoteurs lorgnent depuis longtemps sur cette enclave riveraine du canal, dans le quartier aisé de Christianshavn.

Si les avis divergent quant au bien-fondé de Christiania à notre époque, cette "ville libre" au parfum de marijuana conserve une ambiance unique, presque surréaliste, entre cirque désordonné, exposition architecturale improvisée et oasis urbaine. Passée la Pusher St, la sordide rue principale avec ses chiens errants et ses ivrognes intimidants, on se retrouve au milieu de casernes du XVIIIe siècle en ruine et d'un curieux ensemble de logements bricolés. Du wagon reconverti à la pyramide, ceux-ci se trouvent souvent au bord de l'eau et donnent sur les anciens remparts. Christiania possède plusieurs boutiques, ateliers d'artisans, cafés et restaurants, dont la jolie gargote végétarienne Morgenstedet (p. 98). Le Loppen (p. 101), légendaire salle de concerts, y est également installé. À voir tant qu'il en est encore temps. Pour plus d'informations sur Christiania et ses environs, voir p. 94.

>4 LOUISIANA

LE FABULEUX MUSÉE D'ART MODERNE AU BORD DU DÉTROIT D'ØRESUND

Le Louisiana (qui porte le nom de l'épouse de son fondateur) ne fait pas seulement partie des plus magnifiques musées de la région : il renferme aussi l'une des plus belles collections internationales d'art contemporain de Scandinavie. Il est situé entre forêts et collines verdoyantes, au bord du détroit d'Øresund, avec vue sur la Suède de l'autre côté.

Si le cadre est exceptionnel, les pièces exposées le sont tout autant, comme celles du mouvement CoBrA ("Copenhague, Bruxelles, Amsterdam", villes d'origine de ses membres). Parmi les œuvres les plus remarquables, citons celles de son chef de file, l'artiste danois Asger Jørn, et d'autres de grands noms comme Bacon, Warhol, Lichtenstein, Oldenburg, Rauschenberg, Rothko et Picasso. Le musée possède de nombreuses sculptures, de Miró, Calder, Moore et Max Ernst entre autres, dont beaucoup sont exposées dans les jardins. Une salle entière est consacrée à Giacometti et à de superbes œuvres allemandes des années 1970. Parfait pour une excursion d'une après-midi, le Louisiana plaira aussi aux enfants, qui y sont bien accueillis. Apportez un pique-nique ou optez pour les sandwichs et gâteaux maison de l'excellent café-restaurant.

Les expositions temporaires sur des artistes renommés attirent des foules de visiteurs. Voir aussi p. 104.

>5 ROSENBORG SLOT
LES JOYAUX DE LA COURONNE ET AUTRES TRÉSORS

Avec ses tours et ses douves, le château de Rosenborg semble sorti tout droit d'un conte de fées. À l'origine, ce bel édifice du début du XVIIᵉ siècle, qui était situé à l'écart de la ville, faisait office de pavillon royal d'été. Au fil du temps, il est devenu un magnifique palais Renaissance. De nos jours, il abrite une partie de la superbe collection royale d'art et de mobilier et, au sous-sol, les joyaux de la Couronne. Christian IV, le "roi soleil" danois, en commença la transformation en 1606. Le bâtiment servit ensuite de résidence royale d'été jusqu'à ce que Frédéric IV fasse construire Fredensborg Slot, dans le centre du Sjælland, au début du XVIIIᵉ siècle. Aujourd'hui, les 24 chambres du palais (restées telles qu'elles étaient aux différentes époques) contiennent des meubles et des portraits retraçant trois siècles d'histoire royale danoise jusqu'au XIXᵉ siècle. Mais le principal point d'intérêt se trouve au sous-sol, là où sont conservés les joyaux de la Couronne : l'opulente couronne de Christian IV, l'épée incrustée de pierres précieuses de Christian III et nombre des diamants et émeraudes de l'actuelle reine Margrethe II. Le palais surplombe le Kongens Have (jardin du roi), un élégant parc de style formel apprécié pour les bains de soleil et les promenades en famille. Pour les heures d'ouverture, voir p. 120.

>6 NATIONALMUSEET

LE MUSÉE NATIONAL, POUR ÊTRE INCOLLABLE SUR LES VIKINGS

Les Danois sont extrêmement fiers de leur histoire, et à juste titre. À certaines époques, le Danemark dominait plus de la moitié de l'Europe du Nord, dont la quasi-totalité de la Scandinavie, l'Islande, certaines zones du nord de l'Allemagne et même quelques territoires au sud et à l'est de l'Angleterre. Les fondateurs de cet empire étaient les Vikings. Certes moins cruels et sanguinaires que l'Histoire ne les a dépeints, ils n'avaient pas leur pareil pour piller et violer, ce qu'ils firent jusqu'à une période avancée du XVIIe siècle. Moderne et intéressant, ce musée retrace cette épopée et d'autres. Il comprend des collections vikings et Renaissance particulièrement riches, des vestiges de l'âge de pierre, des pierres runiques, de magnifiques objets de l'âge du bronze (notamment des cors, dont certains vieux de plus de 3 000 ans produisent encore un son) ainsi que des pièces de l'Égypte, de la Rome et de la Grèce antiques. Vous trouverez également au rez-de-chaussée, un superbe musée pour enfants rempli de maquettes de châteaux et de costumes, un café et une boutique ; au 2e étage, un charmant musée du jouet présentant toutes sortes de maisons de poupées. Entrée gratuite. Voir aussi p. 42.

>7 SMØRREBRØD

LA FAMEUSE TARTINE DANOISE, CONNUE DANS LE MONDE ENTIER

Comme partout dans le monde occidental, sushis et sandwichs ont modifié les habitudes de consommation des Danois. Mais ces derniers gardent cependant un penchant très marqué pour leur traditionnelle tartine du déjeuner, le *smørrebrød*. Dans toute la ville, de petits restaurants de *smørrebrød* présentent en vitrine leurs savoureux produits à emporter.

Si les brochures touristiques citent souvent le restaurant Ida Davidsen (Store Kongensgade, près de Nyhavn) comme le doyen du genre, les Copenhaguois bien informés dirigent plutôt les visiteurs vers le Slotskælderen Hos Gitte Kik (p. 67) ou le Schønnemann (p. 67). Ce dernier est l'adresse favorite à midi du chef René Redzepi, du Noma (p. 99). On pourra y choisir parmi plus de 90 garnitures, dont le hareng mariné à l'aquavit et le saumon fumé avec radis râpé, ciboulette et jaune d'œuf. Pour une version plus contemporaine, essayez Aamanns Takeaway (p. 122), où l'on peut choisir du fromage de Søvind nappé d'une confiture de fruits secs et de noix.

>8 NØRREBRO

LES BOUTIQUES BRANCHÉES ET LA VIE NOCTURNE TRÉPIDANTE DE NØRREBRO

Aujourd'hui, deux quartiers se disputent le titre de lieu le plus tendance de Copenhague : Vesterbro (p. 126) et Nørrebro (p. 102). Bien que Vesterbro compte des magasins et des bars épatants – sans parler de l'excellent nightclub Vega (p. 135) –, Nørrebro le surpasse légèrement.

À la fois résidentiel et commerçant, ce quartier cosmopolite et densément peuplé a une vie nocturne animée. Il s'étend au nord du centre-ville, au-delà des beaux lacs peu profonds (aménagés au XVIII\e siècle pour faire barrière aux incendies). Nørrebro ("pont nord") doit son nom au pont qui enjambe les lacs et qui débouche sur la principale artère commerçante du quartier. En chemin, celle-ci longe l'historique Assistans Kirkegård (cimetière où sont enterrés nombre d'artistes, écrivains, penseurs et hommes politiques danois) avant de continuer vers les faubourgs. Des deux côtés rayonnent des rues ravissantes telles que la Blågardsgade, avec ses terrasses et ses bars, et l'Elmegade, remplie de cafés et de boutiques de mode branchées. À l'ouest d'Assistens Kirkegård, la Jægersborggade attire de plus en plus de petites galeries, boutiques et cafés, notamment l'extraordinaire Coffee Collective (p. 111). Cela dit, le cœur palpitant de Nørrebro demeure la Sankt Hans Torv, une place bordée de cafés située à deux pas de Rust (l'un des meilleurs night-clubs de la ville ; voir p. 115) et de l'excellent complexe indépendant Empire Cinema.

>9 DESIGN DANOIS

UNE PASSION MADE IN DANEMARK

Au Danemark, et notamment à Copenhague, le design est
omniprésent. Bien sûr, les Italiens aiment les beaux canapés et
les Français attachent beaucoup d'importance à la mode. Mais au
Danemark, le design est une véritable obsession. Dès qu'il touche
la moindre fourchette, tout bon Danois se demande qui l'a dessinée
et donne une note sur dix à sa forme et à sa fonctionnalité. Chaque
maison danoise a sa chaîne Bang & Olufsen dans le salon, ses lampes
Poul Henningsen au plafond, ses chaises Arne Jacobsen (ou du
moins des copies) dans la salle à manger et sa verrerie Bodum dans la
cuisine. Cette manie nationale est célébrée au Dansk Design Center,
situé H. C. Andersens Boulevard, en face de Tivoli. Pour prouver que
les Danois ne sont pas chauvins, le centre consacre habituellement le
rez-de-chaussée aux œuvres de designers internationaux, réservant
le sous-sol aux classiques danois. Voir aussi p. 42.

>10 FESTIVALS DE MUSIQUE

LE MEILLEUR DE LA MUSIQUE, DU SMOOTH JAZZ À L'INDIE POP, AUX FESTIVALS LES PLUS CHAUDS DE COPENHAGUE

Coïncidence trop rare du calendrier, deux des plus célèbres festivals de musique d'Europe ont lieu chaque année début juillet à Copenhague et dans ses environs.

Principal événement rock d'Europe continentale, le Festival de Roskilde attire plus de 70 000 spectateurs. Connu pour son ambiance sympathique et décontractée, il se déroule dans des champs, à un quart d'heure à pied du centre-ville de Roskilde. Certaines des plus grandes vedettes mondiales du rock et de la pop s'y produisent sur plusieurs scènes en plein air. L'édition 2010, par exemple, a reçu, entre autres, The Prodigy, Alice in Chains et Them Crooked Vultures. Mais ce festival fait aussi la part belle aux artistes moins connus et plus marginaux, sans compter qu'il n'a pas son pareil pour découvrir de nouvelles tendances musicales en Scandinavie.

En 1971, 10 000 personnes avaient assisté au premier festival. Aujourd'hui, plus de 150 concerts rock, techno, trance, world-music et jazz y ont lieu, auxquels se sont rajoutées ces dernières années des

représentations classiques. Vous pouvez acheter des tentes à votre arrivée (2 295-2 795 DKK en 2011, accès au festival compris). Comme toujours dans ce genre de manifestation, le vaste terrain de camping est des plus rudimentaires. Pour obtenir les meilleures places, prévoyez d'arriver le mercredi précédant le principal week-end. Voir p. 26 et p. 154.

Au même moment, à Copenhague, le Festival de jazz est le clou du programme des divertissements de l'année : dix jours de musique débutant le premier vendredi de juillet. Cet événement insuffle une formidable énergie à la ville. Une exaltation palpable flotte dans l'air, alors que la musique live envahit les rues, les bords des canaux et des lieux divers. Plus de 1 000 concerts ont ainsi lieu partout, dans le moindre espace disponible. En fait, la ville elle-même devient une gigantesque scène. Depuis sa première édition en 1978, ce festival est devenu l'une des principales manifestations de jazz d'Europe. Des musiciens aussi renommés que Dizzy Gillespie, Miles Davis, Sonny Rollins, Oscar Peterson, Ray Charles et Wynton Marsalis s'y sont produits. Tony Bennett, Herbie Hancock et Keith Jarrett sont des habitués, de même que les Danois Cecilie Norby et David Sanborn. Le programme paraît généralement en mai.

Pour une sélection des meilleures salles de jazz de la ville, voir p. 155.

>11 STATENS MUSEUM FOR KUNST
UNE EXCEPTIONNELLE COLLECTION D'ART
La Galerie nationale du Danemark est divisée en deux parties : l'édifice d'origine de la fin du XIXe siècle et la spectaculaire annexe en verre et béton de l'architecte Anna Mario Indrio. Les deux bâtiments abritent six siècles de beaux-arts, du Moyen Âge avec ses thèmes religieux stylisés à la Renaissance. On y verra aussi de nombreuses œuvres d'artistes néerlandais et flamands, dont Rubens, Breughel, Rembrandt et Frans Hals. Comme on peut s'y attendre, le musée possède aussi la plus belle collection au monde d'art danois du XIXe siècle, avec notamment les chefs de file de l'âge d'or (Eckersberg, Købke, Krøyer, J. T. Lundbye, Vilhelm Hammershøi, L. A. Ring et Michael Ancher). Les amateurs d'art moderne ne seront pas déçus non plus. Des artistes comme Per Kirkeby, Richard Mortensen et Asger Jørn sont exposés, ainsi que des maîtres étrangers tels que Matisse (le musée possède 25 de ses œuvres), Picasso et Braque, sans oublier la nouvelle génération d'artistes.
Au rez-de-chaussée de la nouvelle aile, une section pour les enfants offre quantité d'activités interactives. Le café-restaurant comblera les petits creux. Voir aussi p. 120.

>AGENDA

Copenhague n'est pas une destination très riche en fêtes et manifestations.
En dehors de son excellent Festival de jazz et des extravagances de Noël, la
ville résiste en général à l'agitation festive. Son calendrier événementiel offre
néanmoins de quoi séduire les visiteurs de tous âges. Vous trouverez des
informations à jour sur les sites Internet www.aok.dk et www.visitcopenhagen.
com, ainsi que dans l'hebdomadaire *Copenhagen Post* (en anglais), disponible
en ligne (www.cphpost.dk) et chez de nombreux marchands de journaux.
Le site www.kopenhagen.dk vous renseignera sur les expositions.

De novembre à février, les Copenhaguois peuvent s'entraîner sur plusieurs patinoires en plein air

JANVIER ET FÉVRIER

Nouvel An

Les Copenhaguois fêtent le réveillon avec de somptueux feux d'artifice, souvent dans le cadre de soirées privées. La municipalité organise aussi quelques manifestations, notamment devant l'hôtel de ville, sur la Rådhusplads, où plusieurs milliers de personnes se rassemblent pour le compte à rebours.

Festival de jazz d'hiver

www.jazz.dk/en/vinter-jazz

Fin janvier et début février, les amateurs de jazz peuvent combler le vide laissé par le festival d'été lors de cette programmation plus modeste qui a lieu dans diverses salles de la ville.

MARS ET AVRIL

Bakken

www.bakken.dk

Le plus ancien parc de loisirs du Danemark ouvre ses portes le dernier week-end de mars dans le parc forestier de Dyrehaven (p. 107).

CPH:PIX

www.cphpix.dk

Le Festival du cinéma de Copenhague programme, pendant 11 jours au mois d'avril, plus de 160 films danois et étrangers, ainsi que de nombreux événements cinématographiques, dont des interviews de réalisateurs et d'acteurs.

Les attractions du Bakken font la joie des enfants

Les gardes royaux défilent jusqu'à l'Amalienborg Slot pour l'anniversaire de la reine

Anniversaire de la reine Margrethe II

Le 16 avril à midi, la bien-aimée souveraine du Danemark (p. 80) salue la foule depuis le balcon de l'Amalienborg Slot, pendant que les troupes défilent en grande pompe. Des milliers de Copenhaguois viennent présenter leurs vœux à la reine et les bus de la ville sont décorés de drapeaux.

Tivoli

www.tivoli.dk

Mi-avril, le légendaire parc d'attractions situé au cœur de la capitale (p. 44) inaugure sa saison d'été avec un nouveau programme de manifestations et de concerts, réunissant plusieurs artistes de renommée mondiale. La foule afflue le premier jour, mais les spectacles restent à l'affiche jusqu'à la troisième semaine de septembre.

MAI

Fête du Travail

Bien que le 1er-Mai ne soit pas officiellement férié, les Danois se rassemblent au Fælledparken pour des pique-niques organisés par les syndicats et profitent de l'occasion pour faire la fête.

Ølfestival

www.haandbryg.dk

Les bières de spécialité et la micro-brasserie ont aujourd'hui le vent en poupe et la plus importante fête de la bière du Danemark séduit chaque année plus de 10 000 amateurs.

La samba anime le Carnaval de Copenhague

au carnaval brésilien ses défilés de chars, ses musiciens et ses danseurs costumés.

JUIN

Distortion

www.cphdistortion.dk

Début juin, ce festival de cinq jours met à l'honneur la vie nocturne copenhaguoise, notamment ces discothèques et ses bars à DJ.

Skt Hans Aften (veille de la Saint-Jean)

Les Danois célèbrent la plus longue nuit de l'année en allumant de grands feux dans les parcs, les jardins et surtout sur les plages. Ils chantent et font la fête autour du bûcher, sur lequel brûle l'effigie d'une sorcière (qui serait originaire des monts du Hartz, en Allemagne).

Festival de Roskilde

www.roskilde-festival.dk

Le plus grand festival musical de Scandinavie se tient dans les champs qui entourent Roskilde, à 30 minutes de train de Copenhague. L'événement attire les meilleurs musiciens de la planète et plus de 70 000 passionnés du monde entier. Voir aussi p. 154.

Derby danois

www.galopbane.dk

Plus importante course hippique du Danemark, elle se déroule fin juin sur l'hippodrome de Klampenborg, au nord de Copenhague.

Marathon de Copenhague

www.copenhagenmarathon.dk

Le plus grand marathon de Scandinavie réunit, par un dimanche de mi-mai, quelque 5 000 participants et plusieurs dizaines de milliers de spectateurs.

Carnaval de Copenhague

www.copenhagencarnival.dk

Ces trois jours de festivités qui marquent le Whitsun (50 jours après Pâques) emprunte

JUILLET

Festival de jazz de Copenhague

www.jazz.dk

Pendant 10 jours au début de juillet, l'événement phare de Copenhague – et le plus grand festival du genre en Europe du Nord – rend hommage à toutes les formes de jazz. Des musiciens et des chanteurs de renommée internationale investissent les rues de la ville pour d'innombrables concerts (voir aussi p. 21).

AOÛT

Kulturhavn

www.kulturhavn.dk

Ce festival inédit se concentre sur le port et le long des canaux durant la première semaine d'août. Une multitude d'événements culturels (généralement gratuits), de rencontres sportives et de défilés animent la ville et en particulier la "plage" réaménagée d'Islands Brygge (p. 100).

Semaine du design de Copenhague

www.copenhagendesignweek.dk

En tant que capitale internationale du design, Copenhague organise sa propre biennale, fin août ou début septembre, avec 11 jours de séminaires, de projections et d'expositions sur le sujet. On peut y voir les réalisations de plus de 70 créateurs en compétition pour l'INDEX:Award, le prix le mieux doté du secteur. Les prochains festivals auront lieu en 2011 et 2013.

Un concert sur l'eau lors du Festival de jazz de Copenhague

AGENDA

Paillettes, séduction et ambiance de fête au programme de la Copenhagen Pride

Copenhagen Cooking

www.copenhagencooking.dk

La cuisine scandinave est en plein
essor et le principal festival culinaire
de Scandinavie, centré sur la cuisine
gastronomique, rencontre un grand
succès. Il se déroule dans divers lieux et
restaurants de Copenhague – notamment
à Øksnehallen – fin août et début
septembre.

Copenhagen Pride

www.copenhagenpride.dk

Les réjouissances du célèbre défilé
gay et lesbien métamorphosent le
centre de Copenhague toute la journée
et jusque tard dans la nuit. C'est un
véritable cocktail de danse, de flirt et de
cabotinage.

SEPTEMBRE

Festival Golden Days

www.goldendays.dk .

De nombreux musées et lieux de la
ville participent à ce festival culturel et
historique organisé pendant les trois
premières semaines de septembre.
Le thème change chaque année : en
2010, il était consacré au Danemark du
XVIIIᵉ siècle.

Buster

www.buster.dk

Ce festival du cinéma jeunesse connaît un
vif succès. Pendant 11 jours en septembre,
il associe des projections d'œuvres du
monde entier à des ateliers permettant
aux enfants de réaliser leurs propres films.

Art Copenhagen
www.artcph.com
Plus de 9 000 visiteurs viennent chaque
année découvrir les œuvres de 500 artistes
nordiques lors de ce grand salon de l'art.

Festival du blues
de Copenhague
www.copenhagenbluesfestival.dk
Cet événement international a lieu dans
diverses salles de la ville, durant une
semaine, fin septembre et début octobre.

Kopenhagen Contemporary
www.kopenhagencontemporary.dk
Ce festival de quatre jours rend hommage
à la bouillonnante scène artistique
contemporaine de Copenhague, à
travers les œuvres d'artistes danois et
étrangers. Au programme : vernissages,
performances, débats et circuits guidés
gratuits.

OCTOBRE

Kulturnatten (nuit de la Culture)
www.kulturnatten.dk
Le deuxième vendredi d'octobre, les
musées, les théâtres, les galeries d'art, les
bibliothèques et même Rosenborg Slot,
ouvrent leurs portes toute la nuit pour
de nombreux événements inédits. Les
transports publics sont alors accessibles
gratuitement en présentant le Kulturnatten
Pass (85 DKK).

NOVEMBRE

CPH:Dox
www.cphdox.dk
Le festival scandinave du documentaire, très
apprécié, en est à sa 9e édition. Plusieurs
cinémas de la ville accueillent les projections
la première quinzaine de novembre.

L'ambiance insolite de Kulturnatten au musée Thorvaldsens (p. 77)

Illuminations de Noël sur la Rådhusplads (p. 40)

DÉCEMBRE

Grande parade de Noël

Les festivités débutent par une parade dans le centre-ville, le premier dimanche de décembre. Le Père Noël et ses *nisser* (elfes) entrent dans Copenhague sous les acclamations de la foule et rejoignent la Rådhusplads pour l'illumination d'un gigantesque sapin de Noël.

Tivoli

www.tivoli.dk

Le parc rouvre de mi-novembre au 23 décembre pour un grand marché de Noël. Le public vient admirer les décors de Noël et assister aux spectacles. Si certaines attractions sont fermées, le vin chaud et les *æbleskiver* (petits beignets) réchauffent les cœurs. Voir p. 44.

Noël

Les Copenhaguois sortent beaucoup pendant cette période de l'année. Les rues et les devantures sont richement décorées, des marchés de Noël fleurissent et les églises organisent de nombreux concerts. À partir de la fin novembre, la Manufacture royale de porcelaine (p. 64) vend de délicats services festifs, proposant des thèmes différents chaque année. Les Danois célèbrent le réveillon en famille, avec un dîner traditionnel et des danses autour du sapin.

Le pont de la Reine-Louise, à Nørrebro

ITINÉRAIRES

UN JOUR

Après la visite du Statens Museum for Kunst (p. 120), parcourez les paisibles jardins de Kongens Have (p. 119) et longez le Rosenborg Slot (p. 120) jusqu'à la Kongens Nytorv (p. 57). Traversez la place pour déguster une bière à Nyhavn (p. 78), puis explorez les ruelles commerçantes Store Strandstræde et Lille Strandstræde (p. 83). Après un déjeuner chez Schønnemann (p. 67), revenez vers Kongens Nytorv et descendez Strøget (p. 57), où se trouve le temple du design Illums Bolighus (p. 62). Continuez vers la Rådhusplads (p. 40), tout près de Tivoli (p. 44), puis terminez par un copieux dîner chez Paul (p. 47).

DEUX JOURS

En sortant de la Ny Carlsberg Glyptotek (p. 42), traversez la rue et rejoignez le Dansk Design Center (p. 42). Non loin, Strædet compte de superbes boutiques d'antiquités, de mode et de décoration (p. 56). Faites une pause déjeuner au Zirup (p. 69). À Amagertorv, tournez à droite vers Slotsholmen, quartier dominé par le Christiansborg Slot (p. 72), où se trouve aussi le Thorvaldsens Museum (p. 77) et la Kongelige Bibliotek (p. 75). Traversez le port vers Christianshavn (p. 92) pour une promenade le long des canaux. En soirée, procurez-vous un billet pour l'Opéra (p. 100) ou attablez-vous au restaurant Noma (p. 99).

TROIS JOURS

Après avoir exploré Istedgade (p. 129), revenez vers Kødbyen (quartier des abattoirs) pour déjeuner en terrasse. Vous pourrez ensuite découvrir les collections de la V1 Gallery (p. 129) ou opter pour un soin relaxant au DGI-Byen (p. 135), à l'angle de la rue. Prenez le S-tog de la gare centrale à Nørreport (p. 116). Au nord se trouve le quartier branché de Nansensgade. En franchissant les lacs, vous atteindrez Nørrebro (p. 102) et les magasins de Ravnsborggade et Elmegade (p. 105). Pour faire la fête, rejoignez Gefärlich (p. 115), puis Rust (p. 115), ou bien, du dimanche au mardi, profitez d'une soirée tranquille dans un café ou un restaurant du quartier (voir p. 108).

En haut, à gauche La statue de Frédéric VII et la flèche de Børsen (p. 74) **À droite** Le Thorvaldsens Museum (p. 77), à Slotsholmen **En bas** Les boutiques branchées de Strøget (p. 56) séduisent la foule

ITINÉRAIRES

Découverte de Copenhague sur les canaux de Nyhavn

JOURNÉE ENSOLEILLÉE

Après une baignade dans la piscine du port, l'Islands Brygge Havnebadet, (p. 100), longez les canaux de Christianshavn et Christiania (p. 92) de manière à rejoindre le Bastionen Og Løven (p. 98) pour déjeuner. Prenez la navette fluviale (p. 178) de Knippelsbro à Nyhavn (p. 78) et marchez jusqu'à la Petite Sirène (p. 82), avant d'escalader les remparts du Kastellet (p. 81). De là, on peut quasiment traverser tout le haut de la ville sans quitter ses parcs : Østre Anlæg rejoint le Botanisk Have, situé à deux pas des Ørsteds Parken (p. 118). Finissez cette belle journée à la terrasse du restaurant japonais Sticks 'n' Sushi (p. 122), dans Nansensgade.

JOUR DE PLUIE

À Slotsholmen, on pourra visiter le Christiansborg Slot (p. 72), le Thorvaldsens Museum (p. 77), le Tøjhusmuseet (p. 77), le Teatermuseet (p. 77), les Kongelige Stalde (p. 75) et la Kongelige Bibliotek (p. 75), tous

PETIT PLANNING AVANT DE PARTIR

Compte tenu de son atmosphère décontracté et informelle, visiter Copenhague nécessite peu de préparation, bien qu'un minimum d'organisation soit toujours utile. Pensez notamment à réserver vos places pour l'Opéra (p. 100) et le Théâtre royal (p. 90) suffisamment à l'avance. Vous trouverez le programme des manifestations sur les sites www.aok.dk (Alt om København, "Tout sur Copenhague") et www.visitcopenhagen. com ; pour l'achat des billets, consultez www.billetnet.dk ou www.billetlugen.dk. Si vous rêvez d'une soirée privée au 1.th (p. 85), le restaurant de Mette Martinussen, réservez trois semaines à l'avance – une précaution indispensable pour la plupart des établissements étoilés Michelin. Pour une table au temple de la cuisine contemporaine, le Noma (p. 99), prévoyez trois mois d'attente. Une semaine avant le voyage, consultez la liste des expositions prévues sur www.kopenhagen.dk. Informez-vous également sur www.aok.dk, qui diffuse une newsletter en danois (elle permet de comprendre l'essentiel). Pour une visite guidée à pied, de même que pour une soirée organisée par Dine with the Danes (p. 132), réservez au moins une semaine avant. La veille du départ, achetez et imprimez votre billet pour le Tivoli sur www.shoppen.tivoli.dk (en danois) afin d'éviter l'attente aux guichets.

situés dans un même secteur (avec toutefois des jours d'ouverture différents). Pour déjeuner, vous pourrez choisir entre le café de la Bibliotek ou le restaurant huppé Søren K (p. 77), qui donne sur le port. Sortez votre parapluie pour une brève course jusqu'au Nationalmuseet (p. 42), récompensée par un café ou un remontant devant la cheminée du Nimb Bar (p. 49). En soirée, le complexe du Vega (p. 135) réunit tous les plaisirs à l'abri de la pluie.

COPENHAGUE PAS CHER

Le mercredi est idéal pour découvrir la ville sans se ruiner. Commencez par le Statens Museum (p. 120), puis visitez Den Hirschsprungske Samling (gratuit mercredi, p. 118), à l'angle de la rue. Traversez le Kongens Have jusqu'au Davids Samling (entrée libre, p. 118). Prenez un vélo en libre service (p. 176) pour rejoindre Christiania (p. 94) et savourer un curry au Morgenstedet (p. 98). En automne, les étudiants du Conservatoire de musique donnent des concerts gratuits les mercredis (voir www. onsdagskoncerter.dk) dans divers endroits. Chaque vendredi, le billet payant donne également accès à un spectacle musical au Tivoli (p. 44), souvent interprété par des artistes renommés. Pour dîner, le Dyrehaven (p. 131), à Vesterbro, offre un cadre à la fois suranné et fabuleux.

> 1	Rådhuspladsen et Tivoli	40
> 2	Strøget et ses environs	50
> 3	Slotsholmen	72
> 4	De Nyhavn au Kastellet	78
> 5	Christianshavn et Islands Brygge	92
> 6	Nørrebro et Østerbro	102
> 7	De Nørreport à Østerport	116
> 8	Vesterbro et Frederiksberg	126

Conversation estivale devant le canal pittoresque de Nyhavn (p. 78)

LES QUARTIERS

Copenhague est une ville idéale pour le visiteur. Elle est très compacte et la plupart des grands sites et des magasins sont regroupés dans un même secteur.

Copenhague constitue un terrain d'exploration parfaitement plat, doté de larges trottoirs et de pistes cyclables scrupuleusement respectées par les automobilistes. En prenant son temps et avec une bonne paire de chaussures, on peut sans difficulté parcourir toute la ville à pied ou à vélo en trois ou quatre jours. On peut aussi utiliser son excellent réseau de transports publics (bus, navettes fluviales et métro), ce qui permet de visiter davantage de sites.

Copenhague est née il y a un millénaire sur l'île de Slotsholmen, qui demeure le centre politique du Danemark. Le centre-ville s'est étendu jusqu'à englober la Rådhuspladsen et Tivoli, où se trouvent la majorité des hôtels ; le quartier commerçant de Strøget et ses charmantes ruelles piétonnières ; le quartier royal au nord de Nyhavn, qui s'étire jusqu'à la Petite Sirène et abrite l'Amalienborg Slot, résidence de la famille royale. En regardant une carte de la ville, vous remarquerez que le cœur de la ville est globalement contenu dans un secteur délimité par HC Andersens Blvd à l'ouest, les lacs au nord, et le port, qui forme une courbe est-sud. La plupart des lieux incontournables – musées, monuments, principaux sites, magasins et restaurants – se situent dans ce secteur.

Bien entendu, musées et boutiques de luxe ne représentent qu'une partie des atouts de Copenhague. Au-delà du centre historique se trouvent des quartiers dynamiques et passionnants qui méritent d'être découverts : le secteur du canal, Christianshavn, à l'est du port ; les rues animées de Vesterbro et la romantique Frederiksberg à l'ouest ; et le secteur au nord de la gare de Nørreport, réputé pour sa vie nocturne et sa grande variété de magasins et de sites intéressants. En continuant vers le nord-ouest et le nord-est, vous pourrez profiter des divertissements nocturnes et des boutiques branchées de Nørrebro, et rejoindre le quartier des ambassades, Østerbro.

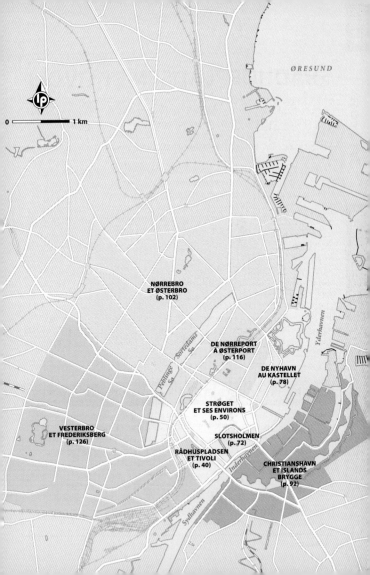

ØRESUND

NØRREBRO
ET ØSTERBRO
(p. 102)

DE NØRREPORT
À ØSTERPORT
(p. 116)

DE NYHAVN
AU KASTELLET
(p. 78)

STRØGET
ET SES ENVIRONS
(p. 50)

SLOTSHOLMEN
(p. 72)

VESTERBRO
ET FREDERIKSBERG
(p. 126)

RÅDHUSPLADSEN
ET TIVOLI
(p. 40)

CHRISTIANSHAVN
ET ISLANDS
BRYGGE
(p. 92)

0   1 km

Peblinge Sø

Sortedams Sø

Yderhavnen

Inderhavnen

Sydhavnen

>RÅDHUSPLADSEN ET TIVOLI

La Rådhusplads (place de l'Hôtel-de-Ville), Tivoli et la Hovedbanegården (gare centrale) forment le cœur de Copenhague. Le soir, la Rådhusplads est illuminée par les panneaux publicitaires des bâtiments alentour, d'où la comparaison (peut-être un peu exagérée) avec Times Square. Elle constitue le principal point de rassemblement des Danois lors des grandes occasions, comme la Saint-Sylvestre.

Outre l'Hôtel-de-Ville et la porte principale de Tivoli, quelques autres sites sont à voir dans le quartier. Dominant tout le centre, le Radisson SAS Royal Hotel a été conçu en 1960 par le grand constructeur danois, Arne Jacobsen. À deux pas, côté nord de la rue Axeltorv, se tiennent deux bâtiments distinctifs : l'édifice multicolore du cinéma Palads (p. 49) et le Cirkusbygningen (bâtiment du cirque). Autrefois cirque permanent, il accueille aujourd'hui des dîners-spectacles sans intérêt.

RÅDHUSPLADSEN ET TIVOLI

⊙ VOIR
Dansk Design Center 1 C4
Nationalmuseet 2 C4
Ny Carlsberg Glyptotek .. 3 C4
Rådhuset 4 C3
Entrée principale
  de Tivoli...................... 5 B3

🛍 SHOPPING
Politikens Boghallen 6 B3

🍴 SE RESTAURER
Alberto K 7 B4
Kiosque à hot-dogs
  d'Andersen 8 B4
Grøften 9 B4
Paul 10 B4

🍸 PRENDRE UN VERRE
Bjørgs 11 B3

Library Bar 12 B4
Nimb Bar 13 B4

⭐ SORTIR
Mojo 14 C3
Cinéma Palads.............. 15 B3
Koncertsal et Plænen à
  Tivoli......................... 16 B4

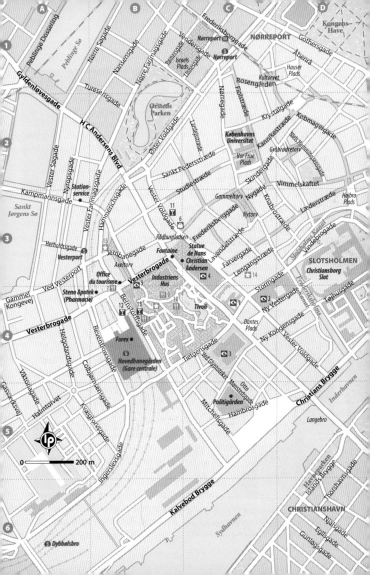

LES QUARTIERS

RÅDHUSPLADSEN ET TIVOLI

👁 VOIR

Les Danois viennent de tout le pays pour s'amuser à Tivoli, mais le Nationalmuseet, la Ny Carlsberg Glyptotek et le Dansk Design Center méritent également une visite.

🟦 DANSK DESIGN CENTER

☎ 33 69 33 69 ; www.ddc.dk ; HC Andersens Blvd 27 ; tarif plein/réduit 50/25 DKK ; 🕐 10h-17h lun, mar, jeu et ven ; 10h-21h mer ; 11h-16h sam et dim ; 🚉 Gare centrale 🚌 33 ; ♿

Le musée du Design danois propose des expositions temporaires originales au rez-de-chaussée et une collection permanente de classiques du design danois au sous-sol. Il y a aussi un bon café et une boutique.

🟦 NATIONALMUSEET

☎ 33 13 44 11 ; www.natmus.dk ; Ny Vestergade 10 ; gratuit ; 🕐 10h-17h mar-dim ; 🚌 1A, 2A, 6A, 11, 12, 15 ; ♿

Le superbe Musée national du Danemark. Voir aussi p. 16.

🟦 NY CARLSBERG GLYPTOTEK

☎ 33 41 81 41 ; www.glyptoteket.dk ; Dantes Plads 7 ; adulte/enfant 60 DKK/gratuit, dim gratuit ; 🕐 11h-17h mar-dim ; 🚉 Gare centrale 🚌 1A, 2A, 11, 33 ; ♿

Fondée par le magnat de la bière Carl Jacobsen en 1888, cette collection exceptionnelle de tableaux et de sculptures a récemment fait l'objet de grands travaux de restauration. Au cœur du bâtiment d'allure vaguement vénitienne, le jardin d'hiver (doté d'un charmant café) a retrouvé son ancienne splendeur. D'ici, vous pourrez flâner dans une magnifique collection postimpressionniste

time for each other kr. 30,–

"Pilules du bonheur" au Dansk Design Center

incluant de nombreuses œuvres de Gauguin et des toiles de Cézanne, Van Gogh, Monet et Degas. Cinq millénaires de sculptures sont également exposés.

◉ RÅDHUSET

☎ 33 66 25 82 ; www.kk.dk ; visites guidées Rådhus/ Verdensur/ tour

30/10/20 DKK ; ⏱ 8h30-16h30 lun-ven et 10h-13h sam, visite guidée de l'hôtel de ville 15h lun-ven et 10h sam, visite guidée de la tour 11h et 14h lun-ven et 12h sam ; 🚆 Gare centrale 🚌 2A, 5A, 6A, 10, 12, 14, 26, 29, 33, 67, 68, 69 ; ♿ Solide bâtiment de style romantique nordique, l'Hôtel-de-Ville est le siège du pouvoir

VIVE LES VIKINGS !

À la fin du VIIIᵉ siècle, après les Romains, les Vikings dominèrent l'Europe du Nord pendant trois siècles. À bord de leurs redoutables drakkars, ces Normands (norvégiens, suédois, islandais et danois), à la fois pillards et commerçants, poussèrent vers le nord jusqu'en Écosse, vers l'ouest jusqu'à l'actuel Canada, vers l'est jusqu'à la Volga et vers le sud jusqu'en Afrique du Nord. Ils colonisèrent la majeure partie de l'Irlande et de l'Angleterre. Leur règne prit fin avec l'arrivée du christianisme dans le nord, vers 1066.

Les Vikings sont célèbres pour leurs pierres runiques et leurs casques à cornes – ces derniers leur ayant été attribués à tort (on les portait en fait à l'âge du bronze). L'un de leurs rois, Harold "à la dent bleue", a donné son nom à la technologie Bluetooth (en anglais "dent bleue"), d'invention danoise. Les Danois sont fiers de leurs ancêtres vikings, mais restent discrets à ce sujet. Le Nationalmuseet (p. 16 et 42) est l'un des rares endroits à Copenhague où vous trouverez des informations les concernant. Néanmoins, si vous voulez voir leurs extraordinaires vaisseaux, rendez-vous à Roskilde, au **musée des Bateaux vikings** (☎ 46 30 03 00 ; www. vikingeskibsmuseet.dk ; Vindeboder 12 ; mai-sept adulte/moins de 18 ans 100 DKK/ gratuit, oct-avr 70 DKK/gratuit ; ⏱ 10h-17h ; 🚆 Roskilde, 🚌 603), à 25 minutes à l'ouest de Copenhague en train.

Vers la fin de l'ère viking, la population locale bloqua délibérément l'extrémité étroite du fjord de Roskilde en y coulant cinq bateaux avec plusieurs tonnes de pierres. On a longtemps supputé l'existence de vestiges. Mais ce n'est qu'à la fin des années 1950, après les plongées effectuées par des chercheurs, que cette existence a été avérée. En 1962, des fouilles furent entreprises pour remonter les anciens vaisseaux. Les fragments furent réassemblés, puis exposés dans un musée érigé à cet effet. Surplombant l'eau, il ouvrit en 1969. Dans les années 1990, neuf autres vaisseaux furent découverts lors de travaux de construction. Si certains datent du Moyen Âge, d'autres, plus nombreux (dont un de 36 m), remontent à l'époque viking. Aujourd'hui, le port constitue une excellente excursion d'une journée, avec des ateliers en plein air, un restaurant et, en été, des promenades sur le fjord dans des bateaux vikings reconstitués ou à bord du **MS Sagafjord** (☎ 46 75 64 60 ; www.sagafjord.dk).

politique municipal. À droite en entrant, ne manquez pas l'horloge astronomique du Danois Jens Olsen, la Verdensur. Outre l'heure locale, elle indique notamment l'heure solaire, le coucher/lever du soleil et le calendrier grégorien. On peut monter dans la tour d'où la vue sur la ville est splendide. Visites guidées à partir de quatre personnes.

☉ TIVOLI
☎ 33 15 10 01 ; www.tivoli.dk ; Vesterbrogade 3 ; adulte/moins de 8 ans 95 DKK/gratuit, pass 260 DKK ; ⏱ horaires 2011 à vérifier sur le site ; 🚉 Gare centrale 🚌 5A, 6A, 11, 26, 30, 40, 47, 250S ; ♿

Tivoli (voir aussi p. 10) compte trois entrées : la première dans la Vesterbrogade, la deuxième face à l'entrée principale de la gare centrale et la troisième sur le HC Andersens Blvd, de l'autre côté de la Ny Carlsberg Glyptotek. Vous payez d'abord pour l'accès, puis pour chaque manège (environ 25 DKK). Il existe toutefois un pass couvrant tous les manèges, dont le Star Flyer, censé être le plus haut carrousel du monde. Le parc propose aussi de nombreux spectacles gratuits. Citons les feux d'artifice du samedi soir (de mi-juin à mi-août), le spectaculaire son et lumière (tous les soirs) et les concerts à Plænen (p. 49), le vendredi à 22h (de mi-avril à fin septembre).

Tivoli la nuit

🛍 SHOPPING

La Rådhusplads n'est pas le meilleur endroit pour le shopping. À gauche de l'entrée principale de Tivoli, dans la Vesterbrogade, une petite galerie comporte un supermarché Irma et une pâtisserie, la H.C. Andersen Bageri, où vous pourrez vous approvisionner pour un pique-nique à Tivoli.

LE CONTE DE SA VIE

Pour les Danois, Hans Christian Andersen est Shakespeare, Goethe et Dickens à la fois. Cette affirmation peut paraître excessive pour un auteur de contes, mais Andersen était bien plus que cela. En plus d'avoir révolutionné la littérature enfantine (*Alice au pays des merveilles*, les ouvrages de Roald Dahl et Harry Potter lui doivent beaucoup), il a écrit des romans, des pièces et plusieurs récits de voyage passionnants.

Traduites dans plus de 170 langues, des histoires comme *La Petite sirène*, *Les Habits neufs de l'empereur* et *Le Vilain Petit Canard* font partie du patrimoine littéraire mondial. Aujourd'hui encore, ses thèmes restent plus universels et plus actuels que jamais.

Andersen est né à Odense le 2 avril 1805. Dans trois autobiographies, notamment *Le Conte de ma vie*, il dépeint son enfance comme pauvre mais idyllique. En réalité, sa mère (blanchisseuse) et son père (cordonnier) n'étaient pas mariés à sa naissance, et son père mourut quand Hans avait onze ans.

Peu de temps après, Andersen s'installa à Copenhague. Alors âgé de 14 ans, sans éducation, il poursuivait un but digne d'un conte de fées : faire fortune dans la grande ville. Après s'être essayé en vain à différentes occupations, il finit par trouver le succès mondial avec ses écrits, d'abord des poèmes et pièces, puis un premier volume de nouvelles.

Andersen a vécu le reste de sa vie à Copenhague, à différentes adresses, principalement dans **Nyhavn** (p. 90) mais aussi à l'**Hotel d'Angleterre** et, dans sa jeunesse, dans les combles de l'actuel **Magasin du Nord** (p. 63). Accessibles au public, les chambres dans le grand magasin sont présentées telles qu'elles auraient pu être à l'époque.

Par la suite, succès et fortune ont un peu compensé les malheurs d'une vie autrement très troublée. En effet, Andersen était névrosé et fortement hypocondriaque. Tous les soirs, il laissait à côté de son lit une note disant "Je ne suis pas vraiment mort" en raison d'une peur morbide de sombrer dans un sommeil profond, d'être considéré comme mort et enterré vivant.

Cette situation explique peut-être en partie pourquoi il a tant voyagé dans les dernières années de sa vie, s'aventurant plus loin que n'importe lequel de ses compatriotes. En 1840-1841, notamment, il poussa jusqu'à Istanbul, périple qu'il raconte dans *Le Bazar d'un poète*, un récit de voyage très accompli.

Andersen est mort en 1875, d'un cancer du foie, à l'âge de 70 ans. Il est inhumé à l'**Assistens Kirkegård** (p. 104).

V

🖻 POLITIKENS BOGHALLEN
Librairie

☎ 33 47 25 60 ; Rådhuspladsen 37 ;
🕑 10h-19h lun-ven, jusqu'à 16h sam ;
🚌 10, 12, 14, 26, 29

La plus grande librairie de Copenhague, avec un important rayon anglais.

🍴 SE RESTAURER

S'il ne manque pas de fast-foods, le secteur de la Rådhuspladsen comporte aussi quelques adresses plus attrayantes.

🍴 ALBERTO K *Italien* €€€
☎ 33 42 61 61 ; www.alberto-k.dk ; Radisson SAS Royal Hotel, 20ᵉ étage,

Hammerischegade 1 ; 🕑 18h-21h45 lun-sam ; 🚇 S-tog Vesterport, Gare centrale 🚌 5A, 6A, 26, 30, 40, 47 ; ♿

Ce restaurant propose une cuisine italienne moderne et une vue panoramique splendide. Au menu, du gibier et des poissons locaux accommodés avec des ingrédients italiens. Citons, par exemple, le cerf au balsamique vieilli et au piment accompagné d'une terrine de pommes de terre à l'ail grillé. Cave à vins internationale et reconnue.

🍴 KIOSQUE À HOT-DOG D'ANDERSEN *Pâtisserie* €
☎ 33 75 07 35 ; Bernstorffsgade 5 ; 🕑 11h-19h ; 🚇 Gare centrale 🚌 11, 15, 30, 40, 66, 250S

Terrasses de restaurant sur la Rådhuspladds

Saucisse de porc bio, moutarde de Bornholm et sauce aux chanterelles : le hot-dog Grand Danois d'Andersen (50 DKK) est certainement le meilleur du pays. Kiosque juste à gauche de l'entrée principale.

🍴 GRØFTEN *Danois*   €€
☎ 33 75 06 75 ; Tivoli ; 🕑 12h-22h mar-dim ; 🚇 Gare centrale 🚌 5A, 6A, 11, 26, 30, 40 ; ♿

L'un des restaurants danois traditionnels de Tivoli, dans le bâtiment le plus ancien du parc. Sa carte comprend différentes variétés de *smørrebrød* (p. 17).

🍴 PAUL *Européen moderne*   €€€
☎ 33 75 07 75 ; www.thepaul.dk ; Tivoli ; 🕑 déj et dîner avr-sept ; 🚇 Gare centrale 🚌 5A, 6A, 11, 26, 30, 40 ; ♿

Portant le prénom de son propriétaire anglais, Paul Cunningham, ce restaurant étoilé au Michelin est l'une des meilleures adresses de Copenhague. Cuisine européenne raffinée dans une serre en forme de croissant dessinée par Poul Henningsen.

🍸 PRENDRE UN VERRE

Une clientèle jeune et alcoolisée se presse le samedi soir dans les bars et pubs situés en face de Tivoli et dans Strøget. Mais il existe quelques adresses plus intéressantes non loin.

Vue panoramique à l'Alberto K

🍸 BJØRGS *Café-bar*
33 14 53 20 ; www.cafebjorgs.dk ; Vester Voldgade 19 ; 🕑 9h-0h lun et mar, 9h-1h mer et jeu, 9h-2h ven, 10h-2h sam, 10h-0h dim ; 🚌 10, 12, 14, 26, 29

Idéal pour observer les passants, ce café-bar en L se remplit à l'heure de la sortie des bureaux. Sert des hamburgers et des salades simples.

🍸 LIBRARY BAR *Bar*
☎ 33 14 92 62 ; www.profilhotels.com ; Copenhagen Plaza ; Bernstorffsgade 4 ; 🕑 16h-23h lun-jeu, jusqu'à 1h ven et sam ; 🚇 Gare centrale 🚌 10, 11, 15, 26, 30, 40, 47 ; ♿

Fauteuils en cuir, cheminée, étagères garnies de livres : le petit

Jens Martin Skibsted
Designer et cofondateur de Biomega, fabricant danois de vélos

Pourquoi les Danois aiment le vélo... la topographie plate, leur goût pour l'expérimentation sociale, l'absence d'un secteur automobile local et le côté cool.
Itinéraire idéal à vélo... De Tivoli (p. 44), rejoignez la Ny Carlsberg Glyptotek (p. 42) et Børsen (p. 74). Traversez Christiania (p. 94) en longeant le canal jusqu'au nouvel opéra (p. 100). Prenez la navette portuaire pour Nyhavn. Après un verre, cap sur la Petite Sirène (p. 82) et le Statens Museum for Kunst (p. 120) via le Kastellet. Terminez par le Rosenborg Slot (p. 120) et le Kongens Have (p. 119).
Règles d'or du cycliste ... Regarder derrière soi avant de doubler, lever la main avant de s'arrêter, tendre le bras avant de tourner. **En 2020...** Les gens s'exprimeront à travers leurs vélos, qui seront des équivalents de Ferrari, Ford et Fiat. D'ici à 2050, les vélos seront intelligents, électriques, intégrés au réseau.

bar du Plaza Hotel ressemble à club de gentlemen londonien.

⚑ **NIMB BAR** *Bar à cocktails*
☎ 88 70 00 00 ; www.nimb.dk ;
Bernstorffsgade 5 ; 🕐 18h-0h dim-mer,
jusqu'à 1h jeu-sam ; 🚉 Gare centrale
🚌 11, 15, 30, 40, 66, 250S
Ici, lustres opulents, fresques contemporaines et cheminée forment un décor de salle de bal. Lancé par le légendaire barman Angus Winchester, le Nimb propose des cocktails saisonniers, originaux et classiques à la fois, aux noms évocateurs (nous vous défions de commander un Pornstar Martini).

⭐ SORTIR

C'est le quartier des cinémas multiplexes. Mais Tivoli et d'autres lieux de taille plus modeste offrent un peu de variété.

⭐ **MOJO** *Musique live*
☎ 33 11 64 53 ; www.mojo.dk ;
Løngangstræde 21 ; gratuit-150 DKK ;
🕐 20h-5h ; 🚉 Gare centrale 🚌 6A,
11, 12, 33
Haut lieu du blues à Copenhague. Concerts tous les soirs de la semaine.

⭐ **PALADS** *Cinéma*
☎ 70 13 12 11 ; www.kino.dk ;
Axeltorv 9 ; 🚉 S-tog Vesterport, Gare
centrale 🚌 5A, 30, 11, 14, 15 ; ♿
Un multiplexe à la façade multicolore. Large choix de films danois et internationaux (sous-titrés en danois).

⭐ **KONCERTSAL ET PLÆNEN
À TIVOLI** *Musique live*
☎ 33 15 10 12 ; www.tivoli.dk ; Tivoli,
Vesterbrogade 3 ; 🚉 Gare centrale
🚌 5A, 6A, 26, 11, 30, 40 ; ♿
La plus grande salle de concert de Copenhague reçoit des stars internationales, généralement dans la catégorie *easy listening* ou comédie musicale (Elvis Costello y a joué en 2010). Étonnamment, ce bâtiment historique abrite aussi désormais l'aquarium d'eau de mer le plus long d'Europe. Sinon, le vendredi à 22h, une vedette de la pop danoise ou internationale se produit gratuitement sur la scène en plein air, Plænen.

>STRØGET ET SES ENVIRONS

Strøget est la principale zone piétonne commerçante de Copenhague (elle serait la plus longue de ce type en Europe). Point de ralliement majeur des habitants, elle forme le centre névralgique de la ville. Belles demeures, églises surmontées de flèches en cuivre et places pavées parsèment ce dédale de rues bien préservées des XVIIIe et XIXe siècles. Le tout habituellement traversé d'une foule pressée de chalands et de cyclistes. C'est un quartier inadapté aux voitures, car la plupart des rues environnantes sont piétonnes ou en sens unique. Mieux vaut donc explorer à pied la fantastique variété de petites boutiques indépendantes, cafés chaleureux et restaurants chic.

STRØGET ET SES ENVIRONS

VOIR

Caritas Springvandet	1	C4
Domhuset	2	C5
Gammel Strand	3	E4
Helligåndskirken	4	E4
Kunstforeningen GL Strand	5	E5
Kunsthallen Nikolaj	6	F4
Quartier latin	7	D2
Pisserenden	8	B4
Rundetårn	9	E2
Strædet	10	E4
Vor Frue Kirke	11	C4

SHOPPING

Birger Christensen	12	F4
Bruuns Bazaar	13	F3
Casa Shop	14	F3
Day Birger Mikkelsen	15	F3
Filippa K	16	F3
Frydendahl	17	F3
Georg Jensen	18	E4
Hay House	19	F4
Henrik Vibskov	20	D3
Hoff	21	E3
Illums Bolighus	22	E4

Le Klint	23	F4
Louis Poulsen	24	E4
Lust	25	C5
Magasin du Nord	26	G4
Matas	27	E4
Nordisk Korthandel	28	B4
Peter Beier	29	D4
POP Cph	30	E3
Royal Copenhagen Porcelain	31	E4
Rützou	32	F2
Stilleben	33	E4
Storm	34	F3

SE RESTAURER

42ºRaw	35	F3
Café a Porta	36	G4
Café Victor	37	G3
Kransekagehus	38	G3
La Glace	39	D4
Café du musée des PTT	40	E3
Royal Café	(voir 31)	
Schønnemann	41	E2
Slotskælderen Hos Gitte Kik	42	F4

PRENDRE UN VERRE

1105	43	F3
Café Europa	44	E4
Jailhouse CPH	45	C4
K-Bar	46	F4
Never Mind	47	B4
Ruby	48	E5
Sporvejen	49	D3
Zirup	50	E4
Zoo Bar	51	F3

SORTIR

Copenhagen Jazzhouse	52	E4
Grand Teatret	53	C5
Huset	54	D5
Jazzhus Montmartre	55	F2
Københavns Musikteater	56	E3
La Fontaine	57	E5

Voir carte p. 52

👁 VOIR

👁 CARITAS SPRINGVANDET

Gammeltorv

Lieu apprécié des musiciens de rue, la fontaine de la Charité (1608) est la plus belle de Copenhague.

👁 DOMHUSET

Nytorv ; 🕐 8h30-15h lun-ven ; 🚌 6A ; ♿

Érigé en 1815 par C. F. Hansen (également architecte de la Vor Frue Kirke, p. 56), le palais de justice de Copenhague est un édifice néoclassique en stuc rose. Il a son propre "pont des soupirs" qui relie des cellules de l'autre côté de la Slutterigade. Les mots gravés sur son fronton, *"Med Lov Skal Man Land Bygge"* (les lois édifient un pays) sont extraits du code du Jutland qui codifia les lois du Danemark en 1241. Les visites ne sont pas encouragées, mais vous pouvez jeter un œil à l'intérieur.

👁 GAMMEL STRAND

🚌 6A ; ♿

Gammel Strand (ancienne plage) longe le canal qui encercle partiellement l'île de Slotsholmen. Cette rangée parfaitement

Des maisons du XIXᵉ siècle bordent les canaux de Gammel Strand

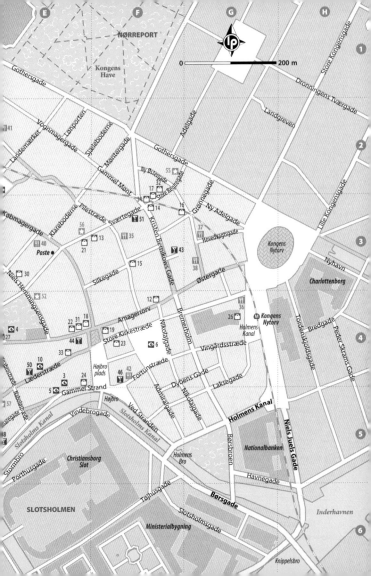

préservée de maisons des XVIIIe et XIXe siècles, avec ses restaurants et ses cafés, est l'une des plus pittoresques de Copenhague. Lorsqu'il fait beau, c'est l'endroit idéal pour prendre un verre en terrasse. Près du pont Højbro, la statue d'une poissonnière indique qu'il s'agit du site de l'ancien marché aux poissons. De l'autre côté, dans les eaux du canal, on aperçoit les statues d'un triton et de ses enfants, tandis qu'une figure plus grandiose d'Absalon, qui fonda Copenhague il y a plus de 1 000 ans, fait face à la poissonnière. D'ici partent les bateaux de croisière sur le canal (p. 180).

❍ HELLIGÅNDSKIRKEN
☎ 33 15 41 44 ; **Nils Hemmingsensgade 5, Strøget ;** 🕑 **12h-16h lun-ven et messes dim ;** 🚌 **6A ;** ♿
En face du magasin de prêt à porter H&M, l'église du Saint-Esprit (XVe siècle) se dresse sur le site d'un monastère plus ancien encore (XIIIe siècle). Elle accueille souvent des stands de livres d'occasion.

❍ KUNSTFORENINGEN GL STRAND
☎ 33 36 02 60 ; **www.glstrand.dk ; Gammel Strand 48 ; tarif plein/moins de 17 ans/réduit 55/gratuit/40 DKK ;** 🕑 **11h-17h mar et ven-dim, jusqu'à 20h mer et jeu ;** 🚌 **6A**

COPENHAGUE >54

Après de grands travaux de restauration, le QG de l'Union des artistes danois continue de présenter des talents artistiques locaux et internationaux. Une récente exposition était consacrée à l'œuvre du réalisateur américain culte David Lynch.

❍ KUNSTHALLEN NIKOLAJ
☎ 33 18 17 80 ; **www.kunsthallennikolaj. dk ; Nikolaj Plads 10 ; tarif plein/réduit 20 DKK/gratuit, mer gratuit ;** 🕑 **12h-17h mar, mer et ven-sam, jusqu'à 21h jeu ;** Ⓜ **Kongens Nytorv** 🚌 **11, 350S ;** ♿
Cette église du XIIIe siècle abrite aujourd'hui le Copenhagen Contemporary Arts Centre, qui organise chaque année une demi-douzaine d'expositions d'art contemporain.

❍ QUARTIER LATIN
🚌 **6A ;** ♿
S'il n'a pas grand-chose à voir avec le Quartier latin de Paris, ce petit secteur central doit son surnom à l'université (l'actuelle faculté de droit) ainsi qu'aux librairies d'occasion et des cafés qui ont fleuri tout autour. Il s'étend de la Vor Frue Plads vers l'est dans la Store Kannikestræde et la Skindergade jusqu'à la Købmagergade, via la jolie Gråbrødretorv (place du Moine-Gris, fondée au milieu du XVIIe siècle), avec ses terrasses de restaurant et ses bars, et vers

COURAGE, TOUT N'EST PAS SI NOIR…

Considéré comme le "père de l'existentialisme", Søren Kierkegaard est le plus célèbre philosophe danois. Né le 5 mai 1813 dans une riche famille copenhaguoise (dans une maison de la Nytorv, désormais occupée par la Danske Bank), il hérite d'une immense fortune qu'il utilise pour financer ses réflexions sur Dieu et la moralité. Il étudie la théologie et la philosophie à l'Université de Copenhague, mais c'est le fait d'avoir été rejeté par son seul grand amour, Regine Olsen, qui oriente véritablement ses écrits. Son premier grand ouvrage, *Ou bien… ou bien* (1843) examine le conflit entre plaisirs esthétiques et vie éthique. Suivront *Crainte et tremblement* et *Post-scriptum aux miettes philosophiques*. L'une de ses premières œuvres était une critique complexe de son compatriote contemporain, Hans Christian Andersen. Ce dernier sera l'un des nombreux ennemis que le grincheux Kierkegaard se fera au cours de sa brève existence. Il meurt d'épuisement en 1855.

le nord dans la Fiolstræde jusqu'à la Nørre Voldgade. Plusieurs cafés, bars et magasins intéressants y sont installés.

◉ PISSERENDEN
🚌 **6A, 12, 26, 29, 33**

Juste au nord de Strøget, ce charmant lacis de rues abrite des commerces plus jeunes et plus "alternatifs" : vêtements, CD d'occasion, cafés, bars et bagels. Il y a environ un siècle, c'était un quartier mal famé, rempli de maisons closes et de *bodegas* (pubs). Aujourd'hui, ces rues animées (notamment les Studiestræde, Larsbjørnstræde et Vestergade) sont appréciées des étudiants et des créatifs des agences de publicité et de design voisines.

◉ RUNDETÅRN
☎ **33 73 03 73 ; www.rundetaarn.dk ; Købmagergade 52A ; adulte/enfant 25/5 DKK ;** 🕐 **tour et observatoire**

10h-20h fin mai-fin sept, jusqu'à 17h le reste de l'année, 19h-22h mar et mer mi-oct à mi-mars ; Ⓜ **Nørreport** Ⓡ **S-tog Nørreport** 🚌 **350S**

L'un des principaux monuments de Copenhague (voir p. 11).

◉ STRÆDET
🚌 **6A ;** ♿

Parallèle à Strøget, au sud, Strædet est peut-être la plus belle zone commerçante de la ville. Si elle est moins grandiose que la première, ses deux rues (Kompagnistræde et Læderstræde) sont nettement plus charmantes, avec des boutiques plus originales. Son principal attrait réside dans ses bijouteries indépendantes et ses boutiques d'argenterie à l'ancienne, mais on y trouve aussi quelques bons cafés. Soyez vigilant, car les voitures et, plus dangereux encore, des cyclistes lancés à vive allure s'aventurent dans cette zone censée être piétonne.

Shopping dans Strøget

⊙ VOR FRUE KIRKE

☎ 33 37 65 40 ; www.koebenhavnsdom
kirke.dk ; Nørregade 8 ; gratuit ; ⏰ 8h-
17h ; 🚇 S-tog Nørreport 🚌 6A ; ♿
La Domkirke (cathédrale) de
Copenhague est un édifice
néoclassique austère construit en
1829 par C. F. Hansen. En 2004,
le prince héritier Frederik y a
épousé Mary Donaldson en grande
pompe. Ne manquez pas les
statues imposantes du Christ et des
12 apôtres réalisées par le grand
sculpteur néoclassique danois,
Bertel Thorvaldsen (voir p. 77).

🛍 SHOPPING

Les rues piétonnes qui composent
Strøget (prononcer "stroyeul")
traversent le cœur de ce qui est
certainement l'un des centres les plus
charmants d'Europe du Nord. À la
Rådhusplads, Strøget commence par
quelques boutiques de vêtements,
pubs et fast-foods bas de gamme.
Puis, au niveau des pittoresques
places jumelles de Nytorv et
Gammeltorv (ancienne et nouvelle
place), les commerces se font plus
chics (tout en restant résolument

LES QUARTIERS

STRØGET ET SES ENVIRONS

standard). La zone se poursuit alors sur l'Amagertorv, avec ses magasins Royal Copenhagen et sa célèbre "fontaine aux cigognes", avant de se terminer à la Kongens Nytorv.

Mais Strøget n'est pourtant plus ce qu'elle était. Les chaînes internationales gagnent du terrain ; dans la partie ouest, kebabs et chaînes de vêtements bon marché forment un ensemble peu attrayant ; et à l'est, les marques de luxe (Hermès, Gucci, Louis Vuitton) sont celles que l'on retrouve dans toutes les grandes villes européennes.

Mais de vrais trésors vous attendent si vous quittez la principale artère pour vous enfoncer dans les rues annexes. Strædet (p. 55), Pisserenden (p. 55) ainsi que la zone délimitée par Strøget, la Købmagergade, la Kronprinsensgade et la Gothersgade comprennent des dizaines de petites boutiques indépendantes (et quelques grandes) vendant des articles de maison, des bijoux, des habits, des céramiques et de la verrerie d'origine danoise. Centre de la mode haut de gamme à Copenhague, ce dernier secteur réunit les magasins phares de plusieurs stylistes scandinaves en vue, comme Bruuns Bazaar (p. 58) et Day Birger Mikkelsen (p. 59). La Kronprinsensgade, notamment, est surnommée "fashion street", même

L'intérieur de l'église néoclassique Vor Frue Kirke, à Noël

si, d'après nous, les rues Elmegade et Ravnsborggade à Nørrebro lui volent aujourd'hui la vedette.

Pour les boutiques dans Strøget ou à proximité, nous indiquons les lignes de bus qui s'en approchent le plus. Après, il faut parfois marcher un peu.

BIRGER CHRISTENSEN *Mode*
☎ 33 11 55 55 ; www.birger-christensen. com ; Østergade 38, Strøget ; 🕑 10h-18h lun-jeu, jusqu'à 19h ven, jusqu'à 16h sam ; Ⓜ Kongens Nytorv 🚌 15, 19, 26, 1A
La boutique de vêtements de luxe la plus réputée de la ville. Marques danoises et internationales

pour hommes et femmes, dont Prada, Chanel et YSL. Connue au Danemark pour ses fourrures.

BRUUNS BAZAAR *Mode*
☎ 33 32 19 99 ; www.bruunsbazaar. com ; Kronprinsensgade 8 et 9 ; 🕑 10h-18h lun-jeu, jusqu'à 19h ven, jusqu'à 16h sam ; 🚌 350S
Présente dans le monde entier, cette marque est l'archétype de la mode scandinave contemporaine. C'est ici que les premiers magasins Bruuns Bazaar pour hommes et femmes ont été ouverts. Propose aussi d'autres marques célèbres.

Deux fashionistas dans les rues de Strøget

▣ CASA SHOP
Articles pour la maison/mobilier

☎ 33 32 70 41 ; www.casagroup.com ;
Store Regnegade 2 ; 🕙 10h-17h30 lun-jeu,
jusqu'à 18h ven, jusqu'à 15h sam ; 🚌 350S

L'un des magasins de meubles
et d'articles de maison les plus
grands (et les plus chers) de la ville.
Marques modernes internationales
(surtout italiennes) appréciées des
gens riches.

▣ DAY BIRGER MIKKELSEN
Mode

☎ 33 45 88 80 ; www.day.dk ;
Pilestræde 16 ; 🕙 10h-18h lun-jeu, jusqu'à
19h ven, jusqu'à 17h sam ; 🚌 350S ; ♿

Le superbe nouveau magasin
phare de cette marque danoise
renommée est situé en plein
cœur du quartier de la mode
grand public. Les vêtements sont
élégants, classiques et sexy, avec
juste une touche de style hippie.
La boutique de la créatrice Malene
Birger (qui ne fait plus partie du
groupe Day) est au coin de la rue,
Antoniegade 10 (mêmes heures
d'ouverture).

▣ FILIPPA K *Mode*

☎ 33 93 80 00 ; www.filippa-k.
com ; Ny Østergade 13 ; 🕙 11h-18h
lun-jeu, jusqu'à 19h ven, jusqu'à 16h
sam ; 🚌 350S

Maison mère danoise de la créatrice
suédoise Filippa Kihlborg. Tenues
simples, modernes et souvent

monochromes pour hommes et
femmes. Pour tous les jours ou pour
le soir.

▣ FRYDENDAHL
Articles pour la maison/cadeaux

☎ 33 13 63 01 ; www.janfrydendahl.dk ;
Store Regnegade 1 ; 🕙 10h30-17h30 lun-
jeu, jusqu'à 18h ven, jusqu'à 16h sam oct-
mars, jusqu'à 15h sam avr-sept ; 🚌 350S

Jan Frydendahl a sillonné la planète
pendant 30 ans pour dénicher
des articles de décoration beaux
et originaux. Il propose un choix
éclectique et fascinant de produits,
du lustre à l'arrosoir, exposés jusque
sur le trottoir devant la boutique.

▣ GEORG JENSEN *Argenterie*

☎ 33 11 40 80 ; www.georgjensen.
dk ; Amagertorv 4 ; 🕙 10h-18h lun-jeu,
jusqu'à 19h ven, jusqu'à 17h sam,
12h-16h dim ; 🚌 350S ; ♿

Magasin principal de Georg Jensen,
orfèvre mondialement connu.
Large choix de produits : épingles
à cravate, montres, argenterie et
articles en or. Prix parfois exorbitants,
mais possibilité de trouver des
cadeaux à moins de 300 DKK
(bougeoirs ou décapsuleurs et
porte-clés en forme d'éléphant).

▣ HAY HOUSE
Articles pour la maison/cadeaux

☎ 99 42 44 00 ; www.hay.dk ;
Østergade 61 ; 🕙 11h-18h lun-ven,
jusqu'à 16h sam ; 🚌 350S

Trine Wackerhausen
Créatrice de mode primée

Mes sources d'inspiration... Des architectes comme Arne Jacobsen et Jørn Utzon qui mêlent minimalisme, détails et formes uniques. **L'origine de la passion scandinave pour le minimalisme...** Le froid. Propre et coupant, il vivifie l'air et la lumière. **Le "look" copenhaguois...** Cheveux longs en chignon, marinière, leggings et talons compensés. Voilà ce que portent en ce moment les jeunes blogueuses de mode de la ville. La mode scandinave est aussi très androgyne, contrairement au style plus effronté et sexy d'Europe du Sud. **Quand je ne crée pas de vêtements...** j'aime me détendre à l'Assistens Kirkegård (p. 104), un cimetière rempli de fleurs étranges, de plantes et de vieilles pierres tombales. Pour de la bonne musique et une bière, je conseille le Jolene Bar (p. 135), idéal pour observer la mode la plus expérimentale de Copenhague.

LES QUARTIERS

STRØGET ET SES ENVIRONS

La fabuleuse boutique de décoration d'intérieur de Rolf Hay contient une excellente sélection de meubles danois récents ainsi que des cadeaux merveilleux comme des peluches en éponge d'Andreas Linzner, des livres et des articles de maison. À voir, la version céramique des gobelets en plastique.

HENRIK VIBSKOV *Mode*

☎ 33 14 61 00 ; www.henrikvibskov. com ; Krystalgade 6 ; ☽ 11h-18h lun-mer, jusqu'à 19h jeu et ven, jusqu'à 17h sam ; Ⓜ Nørreport Ⓡ S-tog Nørreport 🚌 11, 6A

Batteur et artiste prolifique (il a notamment exposé au MoMA PS1 de New York), l'enfant terrible danois Henrik Vibskov joue aussi la carte mode. Outre ses créations originales aux imprimés graphiques pour filles et gars branchés, le magasin propose d'autres marques tendance comme Surface to Air, Comme des Garçons et Walter Van Beirendonck.

HOFF *Bijoux*

☎ 33 15 30 02 ; Kronprinsensgade 12 ; ☽ 12h-18h mar-jeu, jusqu'à 19h ven, jusqu'à 15h sam ; 🚌 350S

Pour son show-room, Ingrid Hoff ne sélectionne que les meilleurs bijoutiers d'art contemporain danois. Mêlant or, argent, acrylique et nylon, ses bijoux sont plus que

Soyez tendance grâce aux créations originales d'Henrik Vibskov

des objets de mode : ce sont des pièces uniques qui durent toute une vie.

🏠 ILLUMS BOLIGHUS
Articles pour la maison

☎ 33 14 19 41 ; www.royalshopping.com ; Amagertorv 8-10 ; 🕐 10h-19h lun-ven, jusqu'à 17h sam, 12h-17h dim ; 🚌 350S ; ♿

S'il y a une seule boutique à voir à Copenhague, c'est celle-ci. Elle est spécialisée dans les objets de décoration d'intérieur, les vêtements, les bijoux et les meubles contemporains haut de gamme de grands designers locaux et internationaux. Un peu plus à l'est, Illum en est la version supérieure.

🏠 LE KLINT
Articles pour la maison

☎ 33 11 66 63 ; www.leklint.com ; Store Kirkestræde 1 ; 🕐 10h-18h mar-ven, jusqu'à 16h sam ; 🚌 350S

Fabriqués à la main, ces étonnants abat-jour en accordéon sont de véritables œuvres d'art. Chaque maison danoise possède au moins un des modèles classiques, mais les plus récents sont tout aussi intéressants et plus colorés.

🏠 LOUIS POULSEN
Articles pour la maison

☎ 33 29 86 70 ; www.louispoulsen.com ; Gammel Strand 28 ; 🕐 8h-16h lun-jeu, jusqu'à 15h30 ven ; 🚌 350S

À côté de Thorvaldsens Hus, dans Gammel Strand, le nouveau

DAY
BIRGER et MIKKELSEN

Des tenues classiques pour toutes les occasions chez Day Birger Mikkelsen (p. 59)

show-room de cette célèbre marque danoise de luminaires propose les tout derniers modèles scandinaves.

🏠 LUST
Objets érotiques

☎ 33 33 01 10 ; www.lust.dk ; Mikkel Bryggers Gade 3A ; 🕒 11h-19h lun-jeu, jusqu'à 20h ven, jusqu'à 18h sam ; 🚌 6A, 12, 29, 33

Avec son incroyable choix de "sex toys" et de vidéos, Lust popularise le gadget érotique. Situé à deux pas de Strøget, très loin – au propre comme au figuré – de la sordide Istedgade.

🏠 MAGASIN DU NORD
Grand magasin

☎ 33 11 44 33 ; www.magasin.dk ; Kongens Nytorv 13 ; 🕒 10h-19h lun-jeu, jusqu'à 20h ven, jusqu'à 18h sam, 12h-16h dim ; Ⓜ Kongens Nytorv 🚌 15, 19, 26, 1A ; ♿

Un peu démodé mais toujours impressionnant, ce grand magasin est le plus ancien de Scandinavie. Ses principaux atouts : le rayon gourmet au sous-sol et l'immense choix de magazines internationaux.

🏠 MATAS *Santé et beauté*

☎ 33 14 07 85 ; www.matas.dk ; Købmagergade 22 ; 🕒 10h-18h lun-jeu, jusqu'à 19h ven, jusqu'à 17h sam ; 🚌 350S

Le grand Magasin du Nord.

Chaîne nationale consacrée à la santé et à la beauté, Matas vend toutes sortes de vitamines, de médicaments délivrés sans ordonnance et de produits de beauté. Au cœur de Strøget, cette boutique distribue la marque Ole Henriksen, gourou danois des soins de la peau.

🏠 NORDISK KORTHANDEL
Livres

☎ 33 38 26 38 ; Studiestræde 26 ; 🕒 10h-18h lun-ven, 9h30-15h sam ; 🚌 10, 12, 14, 26, 29, 33

La meilleure adresse de la ville pour les guides de voyage et les cartes.

PETER BEIER *Alimentation*

☎ 33 93 07 17 ; www.
peterbeierchokolade.dk ; Skoubogade 1 ;
🕐 10h-18h lun-jeu, jusqu'à 19h ven,
jusqu'à 16h sam ; 🚌 6A ; ♿

Le doyen des artisans chocolatiers,
un métier en plein essor à
Copenhague. Petite boutique
garnie de bouchées chocolatées
maison.

POP CPH *Mode*

☎ 33 12 00 04 ; www.popcph.dk ;
Gråbrødretorv 4 ; 🕐 11h-18h lun-jeu,
jusqu'à 19h ven, 10h-17h sam ; 🚌 6A

En 2005, Mikkel Kristensen et
Kasper Henriksen ont commencé
à organiser des soirées pour
la communauté créative de
Copenhague. Ces soirées continuent
d'inspirer le duo : il sort quatre
collections par an combinant
glamour, détails subversifs et
imprimés graphiques branchés.

PORCELAIN ROYAL
COPENHAGEN
Articles pour la maison

☎ 33 13 71 81 ; www.royalcopenhagen.
com ; Amagertorv 6 ; 🕐 10h-18h lun-
jeu, jusqu'à 19h ven, jusqu'à 17h sam,
12h-17h dim ; 🚌 350S ; ♿

Vitrine principale de la fameuse
porcelaine danoise, qui est l'un des
souvenirs les prisés depuis l'époque
de Nelson (il en aurait rapporté
chez lui après avoir bombardé
la ville en 1807). Le motif "bleu

cannelé" est célèbre dans le monde
entier, de même que le service Flora
Danica, qui peut coûter jusqu'à un
million de couronnes. Récemment
rénovée, la boutique mérite une
visite, même si vous n'avez pas
l'intention d'acheter.

RÜTZOU *Mode*

☎ 33 32 63 20 ; www.rutzou.com ; Store
Regnegade 3 ; 🕐 11h-17h30 lun-jeu,
jusqu'à 18h ven, jusqu'à 16h sam ;
🚌 350S

L'une des vedettes de la mode
danoise contemporaine, Susanne
Rützou possède désormais cette
impressionnante boutique dans le
quartier fashion de la capitale. Pour
un look féminin un peu déjanté.

STILLEBEN *Céramiques*

☎ 33 91 11 31 ; www.stilleben.dk ;
Læderstræde 14, Strædet ; 🕐 11h-18h
lun-ven, jusqu'à 16h sam ; 🚌 6A

Cette minuscule boutique est l'une
des favorites dans la zone piétonne
de Strædet. Diplômées du cours de
céramique et verrerie de la Danish
Design School, Ditte et Jelena,
les propriétaires, proposent de
superbes verreries et céramiques
contemporaines de jeunes
créateurs locaux.

STORM *Mode*

☎ 33 93 00 14 ; Store Regnegade 1 ;
🕐 11h-17h30 lun-jeu, 11h-19h ven,
10h-16h sam ; 🚌 360S

LES QUARTIERS

STRØGET ET SES ENVIRONS

SE RESTAURER

42°RAW *Végétarien* €€

☎ 32 12 32 10 ; www.42raw.com ;
Pilestræde 32 ; 8h-20h30 lun-ven,
9h-18h30 sam, 10h-18h30 dim ; 350S

La spécialité de ce restaurant
sain et branché : les aliments crus
accommodés dans de délicieuses
salades (tomates, avocat, persil,
ail, citron vert, piment et quinoa
rouge avec vinaigrette à l'huile de
truite). Les boissons comprennent
des smoothies et des jus de fruits
pressés, notamment une décoction
aussi bizarre que sublime aux
épinards, pommes et basilic.

CAFÉ A PORTA *Français* €€

☎ 33 11 05 00 ; www.cafeaporta.dk ;
Kongens Nytorv 17 ; 11h-0h lun-jeu,
11h-1h ven, 10h-1h sam, 10h-18h dim ;
Ⓜ Kongens Nytorv 1A, 15, 19, 26

Juste à côté de la station de métro
et du Magasin du Nord (p. 63),
ce superbe café viennois était
l'une des adresses favorites de HC
Andersen. Portions copieuses de
délicieux classiques de brasserie.

CAFÉ VICTOR *Français* €€€

☎ 33 13 36 13 ; www.cafevictor.dk ; Ny
Østergade 8 ; 8h-1h lun-mer, jusqu'à
2h jeu-sam, 11h-0h dim ; 350S

Doyen des cafés copenhaguois,
ce bar-brasserie français est
agréablement snob, avec un petit
côté jet-set. Clientèle générale-

La célèbre porcelaine Royal Copenhagen

Ayant tout récemment quitté son
adresse plus confidentielle de
l'Elmegade, cette marque danoise
occupe désormais une vaste
boutique d'angle, en plein quartier
de la mode.

Elle propose un grand choix de
griffes danoises et internationales,
parmi lesquelles Visvim, Sixpack
France et Anne Demeulemeester,
ainsi que de nombreux livres sur le
design, des CD et des magazines de
mode.

LES QUARTIERS

STRØGET ET SES ENVIRONS

d'âge moyen (uniforme de rigueur : jeans, veste et mocassins pour les hommes, Chanel pour les femmes). Cuisine délicieuse, mais prix un peu excessifs.

🍴 KRANSEKAGEHUS
Boulangerie

☎ 33 13 19 02 ; Ny Østergade 9 ; 🕐 10h-18h lun-ven, jusqu'à 16h sam ; 🚌 350S
L'une des meilleures pâtisseries du centre-ville, spécialisée dans le traditionnel *kransekage* (gâteau à la pâte d'amandes).

🍴 LA GLACE *Café*
€

☎ 33 14 46 46 ; Skoubougade 3-5 ; 🕐 8h30-17h30 lun-jeu, 8h30-18h ven, 9h-17h sam ; fermé dim ; 🚌 6A
À côté de Peter Beier (p. 64), ce charmant café-pâtisserie existe depuis 1879. Gâteaux à la mousse et à la crème très diététiques et meilleur chocolat chaud de Copenhague.

🍴 CAFÉ DU MUSÉE DES PTT
Danois
€€

☎ 33 41 09 86 ; www.cafehovedtelegra fen.dk ; Købmagergade 37 ; 🕐 10h-17h mar et jeu-sam, jusqu'à 20h mer, 11h-16h dim ; Ⓜ Nørreport 🚆 S-tog Nørreport ; ♿
Cet espace moderne fait de son mieux pour rendre intéressante l'histoire de Post Danmark. L'attrait principal reste toutefois l'excellent café sur le toit qui sert un déjeuner

Céramiques et verreries chez Stilleben (p. 64)

danois à prix raisonnable. La terrasse offre une vue fantastique sur le centre et le château de Christiansborg.

🍴 ROYAL CAFÉ *Danois*
€€

☎ 33 13 71 81 ; www.theroyalcafe.dk ; Amagertorv 6 ; 🕐 10h-19h lun-ven, jusqu'à 18h sam, jusqu'à 17h dim ; 🚌 350S
Dans une cour à droite de Royal Copenhagen Porcelain (p. 64), ce café arbore un décor kitsch mêlant peinture rose et animaux en porcelaine. Célèbre pour son *smushi* (sushi-*smørrebrød*). Citons celui, très danois, au bœuf salé et au pâté de foie.

⑪ SCHØNNEMANN *Danois* €€
☎ 33 12 07 85 ; www.restaurantschonne
mann.dk ; 🕑 11h30-17h lun-sam ;
Ⓜ Nørreport 🚌 11, 350S

Véritable institution,
Schønnemann remplit les
estomacs locaux de *smørrebrød* et
de schnaps depuis 1877. Autrefois
fréquenté par les fermiers qui
venaient vendre leurs produits
en ville, il reçoit aujourd'hui des
chefs étoilés au Michelin et des
nostalgiques. Sinon, rien n'a
changé, du sol tapissé de sciure à
la cuisine danoise traditionnelle.
Réservez.

⑪ SLOTSKÆLDEREN HOS
GITTE KIK *Danois* €
☎ 33 11 15 37 ; Fortunstræde 4 ;
11h-15h mar-ven ; 🚌 350S

Pour le déjeuner, voici un
restaurant de *smørrebrød* à
l'atmosphère et au charme
typiquement danois traditionnel.
Gitte prépare à la commande la
tartine de votre choix.

▽ PRENDRE UN VERRE

▽ 1105 *Bar à cocktails*
☎ 33 93 11 05 ; www.1105.dk ; Kristen
Bernikows Gade 4 ; 🕑 20h-2h mer, jeu
et sam, 16h-2h ven ; Ⓜ Kongens Nytorv
🚌 11, 350S

Arrivez avant 23h pour trouver une
place au bar de ce luxueux salon à
cocktails, où le légendaire barman
Gromit Eduardsen prépare des
mélanges parfaits comme le N° 4
(gin Tanqueray, cardamome, poivre,
citron vert et miel). Les amateurs de
whisky seront également ravis.

▽ CAFÉ EUROPA *Café*
☎ 33 14 28 89 ; www.europa1989.dk ;
Amagertorv 1 ; 🕑 7h45-23h lun-jeu,
jusqu'à 1h ven et sam, 9h-23h dim ;
🚌 350S

Martin Hildebrandt, qui dirige cette
adresse appréciée au cœur de la zone
commerçante animée de Strøget,
a été primé pour son café qu'il
concocte avec des grains torréfiés

AFFAIRE DE GOÛT
Les Danois ont bon goût, c'est indéniable. Mais certains de leurs mets favoris sont pour le moins bizarres :
> Hareng saur à la sauce curry – drôle de combinaison, non ?
> Réglisse salée – ça se mange vraiment ?
> Rémoulade – une mayonnaise aigre à base de céleri que les Danois ajoutent partout.
> *Stegt flæsk med persille sovs* – lard de porc, et rien d'autre, nappé de sauce au persil. Mmmm.
> *Peberod* – Ou "raifort" que les Danois utilisent pour accompagner viande, poisson et autres.

maison. L'un des meilleurs endroits pour observer les passants, surtout en été lorsqu'il installe sa terrasse à côté de l'élégante Storkspringvandet (fontaine aux cigognes).

JAILHOUSE CPH *Bar gay*
☎ 33 15 22 55 ; www.jailhousecph.dk ; Studiestræde 12 ; ⏰ bar 15h-2h dim-jeu, jusqu'à 5h ven et sam, restaurant jeu-sam 18h-23h ; 🚌 5A, 14, 173E, 6A
Ce bar-restaurant de deux étages, avec son décor de prison, est l'un des établissements gays favoris de Copenhague.

K-BAR *Bar à cocktails*
☎ 33 91 92 22 ; www.k-bar.dk ; Ved Stranden 20 ; ⏰ 16h-1h lun-jeu, jusqu'à 2h ven et sam ; 🚌 350S

Un bar à cocktails décontracté derrière l'Amagertorv. Délicieux mojito préparé par Kirsten ("K"-bar). Clientèle jeune et fêtarde s'y retrouvant avant de sortir en discothèque.

NEVER MIND *Bar gay*
www.nevermindbar.dk ; Nørre Voldgade 2 ; ⏰ 22h-6h ; 🚌 5A, 11, 14, 33
Une adresse fun dans une salle minuscule, enfumée et pleine à craquer. Au programme, pop assumée et flirt tardif.

RUBY *Bar à cocktails*
☎ 33 93 12 03 ; www.rby.dk ; Nybrogade 10 ; ⏰ 16h-1h lun-mer, jusqu'à 2h jeu-sam ; 🚌 6A

Pause smushi (sushi-smørrebrød) au Royal Café (p. 66)

Derrière une entrée discrète, l'un des bars à cocktails les plus cools de Copenhague. Des barmen branchés mixent des boissons aux noms étranges tandis que les clients investissent le labyrinthe de salles confortables et animées. Ambiance de club de gentlemen au rez-de-chaussée (canapés Chesterfield, peintures à l'huile et étagères en bois garnies de spiritueux).

▼ SPORVEJEN *Café/bar*
☎ 33 13 31 01 ; Gråbrødretorv 17 ; 🕙 11h-23h lun-sam, 12h-23h dim ; Ⓜ Nørreport Ⓡ S-tog Nørreport 🚌 6A

Une porte de tram (d'un véritable ancien tram de la ville) donne accès à ce bar plutôt exigu mais s'ouvrant sur une grande terrasse quand le temps le permet. Excellent pour prendre un verre, pas pour manger.

▼ ZIRUP *Café*
☎ 33 13 50 60 ; www.azhiba.dk ; Læderstræde 32, Strædet ; 🕙 10h-1h lun-jeu, jusqu'à 2h ven-sam ; 🚌 6A ; ♿

L'un des meilleurs cafés-restaurants de Strædet, avec des plats frais et modernes (hamburgers, spécialités mexicaines, wraps, sandwichs et salades) servis dans un cadre cosmopolite et coloré. C'est aussi une bonne adresse pour prendre

Le Zirup, idéal pour un verre ou un en-cas

un verre en soirée. Grande terrasse en été, idéale pour voir et être vu.

▼ ZOO BAR *Bar avec DJ*
☎ 33 15 68 69 ; www.zoobar.dk ; Sværtegade 6 ; 🕙 12h-0h mar et mer, jusqu'à 2h jeu, jusqu'à 4h ven et sam ; 🚌 350S

Un bar plébiscité pour les premières parties de soirées. Il diffuse des styles musicaux divers, de l'électronique au bop. Super ambiance les vendredi et samedi soirs de 21h à 2h.

LES QUARTIERS

STRØGET ET SES ENVIRONS

Le Café Europa est réputé pour son excellent café (p. 67)

⭐ SORTIR

⭐ COPENHAGEN JAZZHOUSE
Musique live

☎ 33 15 47 00 ; www.jazzhouse.
dk ; Niels Hemmingsensgade 10 ;
🕐 variable ; 🚌 6A, 350S

Dans n'importe quelle autre ville que Copenhague, un lieu aussi formidable que la Copenhagen Jazzhouse serait horriblement commercialisé. Mais la première salle de jazz de Copenhague et la plus connue, a gardé une ambiance sans prétentions axée sur la musique et les artistes.

Vous y entendrez non seulement certains grands noms du jazz, mais aussi du funk, du blues et de la pop. Et les styles musicaux contemporains sont encore plus variés lorsque les DJ se mettent aux platines au rez-de-chaussée.

⭐ GRAND TEATRET *Cinéma*

☎ 33 15 16 11 ; www.grandteatret.
dk ; Mikkel Bryggersgade 8 ; 🚉 Gare
centrale, 🚌 5A, 6A, 11, 26, 30, 40

Situé à deux pas de Strøget et de la Rådhusplads, voici un beau cinéma qui projette notamment des films d'art et d'essai internationaux.

⭐ HUSET
Discothèque/bar/cinéma

☎ 33 15 20 02 ; **www.husetmagstraede. dk ; Rådhusstræde 13 ;** 🚌 **6A, 11 ;** ♿

Cet excellent centre d'art réunit différents établissements : le Musik Cafeen, qui promeut de jeunes groupes rock et pop ; le Salon K, centré sur le cabaret et la musique de chambre ; le Planeten, consacré à la musique et au théâtre expérimental ; l'Underkanten, pour les scènes libres et les sessions de slam ; un cinéma d'art et d'essai ; et le 1.Sal, spécialisé dans le jazz. S'ajoutent à cela un café et un restaurant italien. Tarifs et horaires variables.

⭐ JAZZHUS MONTMARTRE
Jazz

☎ 70 15 65 65 ; **www.jazzhusmontmar tre.dk ; Store Regnegade 19A ;** 🕐 **12h-0h lun-sam ;** 🚌 **350S**

En 2010, la réouverture du Jazzhus Montmartre a marqué la renaissance d'une des grandes salles de jazz scandinaves. Café contemporain de 12h à 20h, le lieu renoue avec ses racines le soir pour des concerts de talents locaux et internationaux. Le pianiste de jazz australien Tom Vincent et le violoniste français Didier Lockwood y ont joué récemment. Pour la programmation, voir le site Web.

⭐ KØBENHAVNS MUSIKTEATER *Théâtre/musique*

☎ 33 32 38 30, billets 33 32 55 56 ; **www.kobenhavnsmusikteater.dk ; Kronsprinsensgade 7 ;** 🚌 **350S**

Un nouveau théâtre d'avant-garde consacré à la musique et à l'art. Représentations pluridisciplinaires, expositions, art hybride et conférences. Tarifs et horaires variables.

⭐ LA FONTAINE *Jazz*

☎ 33 11 60 98 ; **www.lafontaine.dk ; Kompagnistræde 11, Strædet ; tarifs variables ;** 🕐 **19h-5h, musique live 23h-3h ven et sam, 21h-1h dim ;** 🚌 **6A**

En plein centre, la salle de jazz la plus ancienne et la plus intime de Copenhague, réputée pour ses jam sessions tardives. Concerts de jazz du vendredi au dimanche.

>SLOTSHOLMEN

Malgré sa superficie réduite, l'"île" de Slotsholmen a joué un rôle majeur dans l'histoire de Copenhague. En 1167, l'évêque Absalon y fonda la forteresse autour de laquelle se développera la future capitale danoise.

Les ruines de cette forteresse sont enfouies sous le Christiansborg Slot, l'imposant château néobaroque qui domine Slotsholmen. Résidence du Folketinget (Parlement danois ; p. 76), le complexe comprend plusieurs sites culturels, dont l'édifice néoclassique de la Christiansborg Slotskirke (p. 74), les magnifiques Kongelige Stalde & Kareter (p. 75) et le surprenant Teatermuseet (p. 77).

Des épisodes dramatiques jalonnent l'histoire du château de Christiansborg. Les écuries et les bâtiments entourant la cour principale datent des années 1730, lorsque le château d'origine fut construit par Christian VI pour remplacer un édifice plus modeste. Hélas, la grandiose aile ouest fut détruite par un incendie en 1794. Reconstruite au début du XIXe siècle, elle fut à nouveau la proie des flammes en 1884. En 1907, la pierre d'angle du troisième (et actuel) château fut posée par Frederik VIII.

Huit ponts relient Slotsholmen au reste de la ville. Le plus célèbre, le Marmorbroen (pont de marbre), débouche directement dans la cour arrière du château.

SLOTSHOLMEN

🄲 VOIR

Børsen	1 E2	De Kongelige Stalder & Kareter	5 C3
Ruines de Christiansborg	2 C2	Det Kongelige Bibliotek	6 D4
Christiansborg Slotskirke	3 C1	Folketinget	7 C2
Dansk Jødisk Museum	4 D3	Holmens Kirke	8 D1
		Teatermuseet	9 C2

Thorvaldsens Museum	10 B1
Tøjhusmuseet	11 C3

🍴 SE RESTAURER

Søren K	12 D3

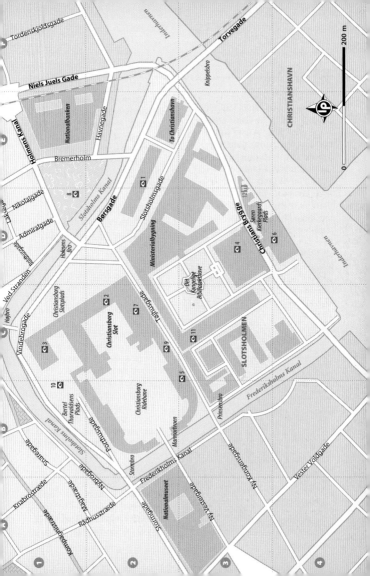

CHRISTIANSHAVN

200 m

Tordenskjoldsgade

Niels Juels Gade

Torvegade

Inderhavnen

Knippelsbro

Holmens Kanal

Nationalbanken

Havnegade

Bremerholm

To Christianshavn

Slotsholms Kanal

Slotsholmsgade

Borsgade

Nikolajgade

Laksegade

Admiralgade

Holmens Bro

Ved Stranden

Hojbro

Vindebrogade

Christiansborg Slotsplads

Ministeriabygning

Tojhusgade

Christians Brygge

Søren Kierkegaards Plads

Det kongelige Bibliotekstove

SLOTSHOLMEN

Inderhavnen

Christiansborg Slot

Prinsenbro

Frederiksholms Kanal

Christiansborg Ridebane

Bertel Thorvaldsens Plads

Slotsholmens Kanal

Snaregade

Naboløs

Knabrostraede

Kompagnistraede

Nybrogade

Portugade

Stormbro

Marmorbroen

Frederiksholms Kanal

Stormgade

Radhusstraede

Nationalmuseet

Ny Kongensgade

Ny Vestergade

Vester Voldgade

8

1

2

7

3

10

4

6

11

9

5

LES QUARTIERS

SLOTSHOLMEN

👁 VOIR

👁 BØRSEN

Børsgade ; 🚌 1A, 2A, 40, 350S
L'opulente flèche en cuivre de
l'ancienne Bourse est formée de
quatre dragons dont les
queues s'entrelacent vers le ciel
jusqu'à une hauteur de 50 m.
C'est l'un des monuments les
plus remarquables de la ville.
Rarement ouvert au public, il
est occupé par une chambre de
commerce.

La flèche torsadée de Børsen

👁 RUINES DE CHRISTIANSBORG

☎ 33 92 64 92 ; www.ses.dk ;
Christiansborg Slot ; adulte/enfant
40/20 DKK ; ☎ 10h-16h tlj mai-sept, fermé
lun oct-avr ; 🚌 1A, 2A, 11, 40, 350S ; ♿
Les ruines de la forteresse
d'Absalon, datant de 1167, sont
visibles dans un musée-crypte, au
sous-sol du château.

👁 CHRISTIANSBORG SLOTSKIRKE

Christiansborg Slotsplads ; gratuit ;
☎ 12h-16h dim juin-août, 12h-16h tlj
juil ; 🚌 1A, 2A, 11, 40, 350S ; ♿
En 1992, le jour du carnaval de
Copenhague, une tragédie a frappé
la majestueuse église néoclassique
de C.F. Hansen (de 1826), voisine
du Parlement. Retombé sur les
échafaudages qui entouraient
l'édifice pour sa restauration,
un feu d'artifice a enflammé le
toit et anéanti la coupole. Une
frise remarquable de Bertel
Thorvaldsen encerclant le plafond
juste en dessous de la coupole est
miraculeusement restée intacte. Les
restaurateurs se sont remis au travail
et l'église a rouvert en janvier 1997.

👁 DANSK JØDISK MUSEUM

☎ 33 11 22 18 ; www.jewmus.dk ;
Kongelige Bibliotekshave (jardin de la
Bibliothèque royale) ; adulte/moins de
16 ans/tarif réduit 50/gratuit/40 DKK ;
☎ 13h-16h mar-ven, 12h-17h sam et

Vue sur le magnifique château de Christiansborg

dim sept-mai, 10h-17h mar-dim juin-août ; 🚌 1A, 2A, 11, 40, 66, 350S ; ♿
Construit par Daniel Libeskind, d'origine polonaise, le Musée juif danois occupe un bâtiment du début du XVIIe siècle (l'ancien hangar à bateaux royal) transformé en un curieux espace géométrique. Entrée au sud du jardin, derrière la Kongelige Bibliotek.

⊙ DE KONGELIGE STALDE & KARETER

☎ 33 40 10 10 ; www.kongehuset.dk ; Christiansborg Ridebane 12 ; adulte/enfant 20/10 DKK ; ☎ 14h-16h ven-dim mai-sept, 14h-16h sam et dim oct-avr ; 🚌 1A, 2A, 11, 40, 66, 350S
Le musée des Écuries et des Carrosses royaux possède une collection unique de vieux carrosses, uniformes et équipements d'équitation, dont certains sont encore utilisés pour des célébrations royales.

⊙ DET KONGELIGE BIBLIOTEK

☎ 33 47 47 47 ; www.kb.dk ; Kierkegaards Plads 1 ; gratuit ; ☎ 9h-21h lun-ven, jusqu'à 17h sam mi-août à juin, 9h-19h lun-ven, jusqu'à 16h sam juil à mi-août ; 🚌 66, navette portuaire ; ♿
La Bibliothèque royale comprend deux parties : le bâtiment d'origine en brique rouge du XIXe siècle et l'époustouflante nouvelle aile en verre et granit de 1999. Surnommée le "Diamant noir", celle-ci constitue la principale attraction. Les gens viennent admirer l'intérieur, avec son immense baie vitrée donnant sur le port, ou manger un morceau dans le café ou le décor minimaliste du restaurant Søren K (p. 77). Uniquement accessible aux membres, la bibliothèque contient 21 millions de livres (c'est la plus grande de Scandinavie). Parmi ces derniers, des manuscrits et des journaux originaux de Kierkegaard

LES QUARTIERS

SLOTSHOLMEN

Tout en verre et granit : le "Diamant noir", Det Kongelige Bibliotek (p. 75)

et de Hans Christian Andersen (notamment la candidature malheureuse de ce dernier pour un emploi à la bibliothèque). Le Diamant noir accueille aussi des expositions et des concerts appréciés (pour des détails, voir le site Web). Derrière la bibliothèque, Det Kongelige Bibliotekshave (le jardin de la Bibliothèque royale) est une jolie oasis verdoyante au cœur du centre urbain.

📷 FOLKETINGET

☎ 33 37 55 00 ; www.ft.dk ; Rigsdagsgården ; gratuit ; ☎ visites guidées 14h lun-ven et dim juil et août, 14h dim sept-juin ; 🚌 1A, 2A, 11, 15, 65E ; ♿

Le Parlement danois, où 179 députés votent les lois et demandent des

comptes au gouvernement. Visites guidées en anglais gratuites à 14h les dimanche et jours fériés.

📷 HOLMENS KIRKE

☎ 33 13 61 78 ; www.holmenskirke.dk ; Holmens Kanal 9 ; gratuit ; ☎ 10h-16h lun-ven, 9h-12h sam mai-sept, 10h-15h lun-ven, 9h-12h sam oct-avr ; 🚌 1A, 2A, 11, 29, 350S

L'église navale n'est pas exactement sur Slotsholmen, mais de l'autre côté du canal qui l'encercle au nord-est. Ancienne forge d'ancres, elle fut transformée en lieu de culte en 1619. De nombreux grands marins danois y sont inhumés, dont l'amiral Niels Juel qui défit la flotte suédoise à la bataille de la baie de Køge (1677). Caractéristique des églises luthériennes, l'intérieur est spartiate, abstraction faite de son autel en chêne sculpté du XVIIe siècle. L'union de la reine Margrethe II et du prince consort Henri y a été célébrée. Départ des promenades sur le canal de Netto Boat (p. 180).

◎ TEATERMUSEET
☎ 33 11 51 76 ; www.teatermuseet. dk ; Christiansborg Ridebane 18 ; adulte/enfant/tarif réduit 40/gratuit/30 DKK ; ☎ 11h-15h mar et jeu, jusqu'à 17h mer, 13h-16h sam et dim ; 🚌 1A, 2A, 11, 40, 66, 350S
L'ancien Hofteater (théâtre de la Cour) qui date de 1842 (dans sa forme actuelle), a fermé en 1881 avant de rouvrir comme musée en 1922. On peut visiter les coulisses, les vestiaires, la loge royale, et voir les vieux décors, costumes et affiches.

◎ THORVALDSENS MUSEUM
☎ 33 32 15 32 ; www.thorvaldsensmuseum.dk ; Bertel Thorvaldsens Plads 2 ; adulte/tarif réduit/enfant 20/10 DKK/gratuit, gratuit mer, audioguide gratuit ; ☎ 10h-17h mar-dim ; 🚌 1A, 2A, 15, 65E ; ♿
Avec ses frises d'inspiration classique, ce mausolée gréco-romain coloré fait partie des édifices les plus remarquables de Copenhague. Premier musée d'art du pays construit à cette fin, il renferme la majorité des œuvres

que Bertel Thorvaldsen (1770-1844) a réalisées durant sa longue et illustre carrière. Celui-ci séjourna longtemps à Rome, où il puisa son inspiration dans la mythologie classique. Le musée contient de belles pièces de la collection d'art de l'artiste, des objets anciens de la région méditerranéenne… et l'artiste lui-même, inhumé dans la salle principale.

◎ TØJHUSMUSEET
☎ 33 11 60 37 ; www.thm.dk ; Tøjhusgade 3 ; adulte/enfant/tarif réduit 30/gratuit/15 DKK ; ☎ 12h-16h mar-dim ; 🚌 1A, 2A, 11, 40, 66, 350S
Le musée de l'Arsenal royal présente une collection étonnante de matériel de guerre ancien : armures médiévales, canons, pistolets, épées et une bombe volante de la Seconde Guerre mondiale. Construit par Christian IV en 1600, ce bâtiment abrite la plus longue salle voûtée Renaissance d'Europe (163 m).

🍴 SE RESTAURER
SØREN K *Danois moderne* €€€
🚌 ☎ 33 47 49 49 ; www.soerenk.dk ; Søren Kierkegaards Plads 1 ; ☎ 12h-0h lun-sam ; 🚌 47,66, navette portuaire ; ♿
Baigné de lumière même lorsqu'il fait gris, le restaurant du Diamant noir est l'un des plus chics de la capitale. Plats légers exclusivement à base d'ingrédients de saison.

>DE NYHAVN AU KASTELLET

Les maisons colorées et typiquement danoises qui bordent le vieux canal de Nyhavn font partie des sites les plus photographiés de la capitale. Creusé au XVIIe siècle pour relier le port au centre-ville, le canal est aujourd'hui jalonné de bars et de restaurants appréciés des touristes. Par beau temps, les promeneurs s'installent nombreux aux terrasses pour siroter une bière.

Au nord de Nyhavn se trouve le quartier royal, Frederiksstaden, qui regroupe les quatre palais formant l'Amalienborg Slot (p. 80) – la résidence principale de la famille royale – ainsi que la Marmorkirken (p. 82). Frederiksstaden s'étend jusqu'au parc Churchill, où se trouve le Frihedsmuseet (p. 80) et l'ancienne citadelle du Kastellet (p. 81). À côté, dominant le port, se tient la Petite Sirène (p. 82).

DE NYHAVN AU KASTELLET

👁 VOIR

Amalienborg Slot 1   B4
Frihedsmuseet 2   C3
Galleri Christina Wilson . 3   C3
Kastellet 4   C3
Kunsthal Charlottenborg 5   B5
Kunstindustrimuseet 6   C4
La Petite Sirène 7   D2
Marmorkirken 8   B4
Medicinsk Museum 9   B4

🛍 SHOPPING

Bang & Olufsen 10   A5
Galerie Asbæk 11   B5
Keramik
  og Glasværkstedet .. 12   A4

Klassik Moderne
  Møbelkunst 13   B5
Susanne Juul 14   B5

🍴 SE RESTAURER

1.th 15   B6
Cap Horn 16   B5
Custom House 17   B6
Damindra 18   B6
Emmerys 19   B5
Le Sommelier 20   B4
Ofelia ....(voir 30)
Restaurant AOC 21   B5
Restaurant
  d'Angleterre 22   A5
Salt 23   C5

Taste 24   B4
Wokshop Cantina 25   A5

🍸 PRENDRE UN VERRE

Palæ Bar 26   A5
Union Bar 27   B5

⭐ SORTIR

Det Kongelige Teater 28   B6
Simons 29   B5
Skuespilhuset
  (Théâtre royal danois) 30   C5

A

Østerbrogade
Stagelsegade
Willemoes Gade
Classengade
Kastelsvej
Dag Hammerskjölds Allé
Holmens
Kirkegård
Upsalagade
Stockholmsgade
Østre
Anlæg
Øster Voldgade
Kongens
Have
NØRREPORT
Sølvgade
Rigensgade
Kronprinsessegade
Gernersgade
Klerkegade
Fredericiagade
Store Kongensgade
Borgergade
Adelgade
Gothersgade
Ny
Adelgade
Kattesundet
Store Regnegade
Gothersgade
Grønnegade
Østergade
Amagertorv
Store Kirkestræde
Højbro
plads
Admiralgade
Ved Stranden
Nikolajgade
Kronprinsessegade

B

Garnisons
Kirkegård
Kristianiagade
Lyngbygade
Østbanegade
Oslo
Plads
Store Kongensgade
Grønningen
Skt Pauls Gade
Bredgade
Sankt Annæ Plads
Store Strandstr
Lille Kongensgade
Store Strandstr
Lille Kongensgade
Kongens
Nytorv
Vingårds stræde
Brolæggerstræde
Holmens Kanal
Nationalbanken

C

Strandgade
Folke Bernadottes Allé
Dampfærgevej
ØSTERPORT
S Østerport
Churchillparken
4
Esplanaden
Smedelinien
Langelinie
Amaliegade
Amalienborg
plads
Amaliegade
Amaliehaven
Toldbodgade
Larsens Plads
Nyhavn
Nyhavn
Herluf Trolles Gade
Holbergsgade
Peder Skrams Gade
Tordenskjoldsgade
Niels Juels Gade

D

Vestbassin
Embarcadère
des croisières
Midtermolen
Østbassin
Langelinie Allé
Lystbådehavn
7
*Vers
Halvandet
(400 m)*
Ferry pour
Swinoujscie
Gefionspringvandet
Ydrehavn
Opéra
Dannebrogsgade
Wildersgade
Europaplads
Strandgade
Danneskiold-Samsøes Allé
CHRISTIANSHAWN
Inderhavnen

0   200 m

👁 VOIR

👁 AMALIENBORG SLOT

☎ 33 12 21 86 ; www.rosenborg-slot.dk ; Amalienborg Plads ; tarif plein/enfant 60 DKK/gratuit, billet combiné avec le Rosenborg Slot 100 DKK ; 🕐 11h-16h mar-dim jan-avr et nov à mi-déc, 10h-16h mai-oct et mi-déc à fin déc ; 🚌 1A, 15, 19 ; ♿

Le château d'Amalienborg est constitué de quatre palais du XVIIIe siècle à l'architecture solennelle, construits autour d'une place pavée. La famille royale y demeure depuis 1794. En arrivant sur la place depuis le port, à l'est, vous verrez sur votre gauche le palais de la reine, Margrethe II. La relève de la garde, photographiée par de nombreux visiteurs, a lieu devant l'édifice tous les jours à midi, après le défilé des gardes à travers le centre-ville depuis la caserne voisine du Rosenborg Slot (p. 120). Le palais situé à l'opposé abrite l'Amalienborg Museum, dans lequel ont été reconstitués des appartements royaux de diverses époques, du XIXe siècle à la Seconde Guerre mondiale. Royalistes convaincus, les Danois apprécient ce genre de lieux, mais les touristes y trouveront peut être moins d'intérêt.

👁 FRIHEDSMUSEET

☎ 33 47 39 21 ; www.natmus.dk ; Churchillparken ; entrée libre ; 🕐 10h-15h mar-dim oct-avr, 10h-17h mar-dim mai-sept ; 🚌 1A, 15, 19, navette fluviale Nordre Toldbod ; ♿

MERVEILLEUSE MARGUERITE

L'un des grands paradoxes de la très démocratique société danoise est la fidélité absolue des citoyens à leur monarque. Margrethe II n'est pourtant pas une souveraine ordinaire. Devenue reine à la mort de son père, en 1972, elle a été la première femme danoise à accéder au trône depuis le XIVe siècle, grâce au référendum national qu'il avait organisé. Excellente ambassadrice pour son pays, elle parvient à conserver la prestance qui fait défaut à certaines familles royales. Artiste de talent, elle a illustré de nombreux ouvrages, conçu des décors pour le Théâtre royal et traduit Simone de Beauvoir en danois. La reine est aussi une grande fumeuse, ce qui ne fait que raffermir l'affection de ses citoyens. D'origine française, le prince consort Henri, comte de Montpezat, est une personnalité assez plaisante de la société danoise. Le couple royal a deux enfants : le prince héritier Frederik, qui a épousé en 2004 l'Australienne Mary Donaldson et est le préféré des Danois, et Joachim (divorcé en 2004 et remarié en 2008 avec une Française, Marie Cavallier). Frederik et Mary forment le couple idéal – charmant et branché –, ayant de nombreux amis dans la jet-set et une vie agréable agrémentée de multiples voyages et loisirs (tous deux apprécient la voile et l'équitation). Ils ont un fils, Christian, et une fille, affectueusement dénommée "*Lille pige*" ("Petite Fille") jusqu'à son baptême, en 2007. La plus ancienne monarchie d'Europe semble être entre de bonnes mains.

Ce modeste musée présente les exploits de la résistance danoise sous l'occupation allemande, de 1940 à la libération par l'armée britannique, en 1945. L'exposition comprend d'émouvantes lettres de résistants avant leur exécution, des uniformes et du matériel de sabotage.

GALLERI CHRISTINA WILSON

☎ 32 54 52 06 ; www.christinawilson. net ; Esplanaden 8B ; 🕙 12h-17h mar-ven, 12h-15h sam, fermé 3 semaines en juillet ; 🚌 1A, 15, 20E

Principale galerie d'art du quartier, Christina Wilson vend les œuvres d'artistes contemporains parmi les plus prolifiques de la planète, comme la photographe et conceptualiste française Sophie Calle, le peintre américain Michael Williams et le Danois Jesper Just, réalisateur de courts métrages.

KASTELLET

🚌 1A, 15, 19 ; ♿

Construite en 1662 par Frédéric III, cette citadelle en étoile est un site historique exceptionnel. Ses remparts herbeux entourés de douves renferment de belles casernes du XVIIIe siècle, une chapelle (qui accueille parfois des concerts) et un petit musée dédié aux sauveteurs (à la porte sud). Un vieux moulin se dresse sur les remparts, d'où les promeneurs jouissent de superbes

Étoffes chatoyantes au Kunstindustrimuseet (p. 82)

vues sur la Petite Sirène, le port et, à l'opposé, la Marmorkirken.

KUNSTHAL CHARLOTTENBORG

☎ 33 13 40 22 ; www.kunsthalcharlotten borg.dk ; tarif plein/réduit 60/40 DKK ; 🕙 12h-20h mar-ven, 12h-17h sam-dim ; Ⓜ Kongens Nytorv 🚌 1A, 11, 15, 19, 26 ; ♿

Ce grand bâtiment de brique rouge est le siège historique de la Kongelige Kunstakademi (Académie royale des beaux-arts). C'est l'un des meilleurs centres d'exposition d'art contemporain, avec des œuvres régulièrement renouvelées d'artistes danois et étrangers.

LA PETITE SIRÈNE

Que vous succombiez ou non à son charme, la Petite Sirène est l'un des premiers symboles de Copenhague qui vient à l'esprit. Il semble pourtant que beaucoup de personnes détestent cette modeste représentation du célèbre personnage de Hans Christian Andersen, sculptée en 1913 par Edvard Eriksen sur commande de la brasserie Carlsberg. La statue a été victime de nombreux actes de vandalisme et a perdu sa tête et ses bras à plusieurs reprises. En 2006, Carlsberg (entre autres commanditaires) demanda à l'artiste danois Bjørn Nørgaard de créer une nouvelle version du personnage. Sa sirène "génétiquement modifiée", installée non loin de la statue originale, près du port, semble plus en harmonie avec la mélancolie et la complexité qui caractérise le conte. En effet, contrairement à la version popularisée par Walt Disney, la sirène d'Andersen connaît de nombreux tourments et souffrances, sans jamais obtenir la main de son prince.

◉ KUNSTINDUSTRIMUSEET

☎ 33 18 56 56 ; www.kunstindustri museet.dk ; Bredgade 68 ; tarif plein/ enfant 60 DKK/gratuit ; 🕙 11h-17h mar-dim ; 🚌 1A, 15, 19 ; ♿

Le Musée danois d'art et de design constitue l'une des étapes culturelles les plus enrichissantes de Copenhague. Son impressionnante collection consacrée aux arts décoratifs compte de nombreuses pièces d'ameublement, d'argenterie et de porcelaine européennes et orientales, avec une prédilection pour le design danois du XXe siècle. Le musée est installé dans un ancien hôpital de 1752, aménagé autour d'une cour. Idéal par un après-midi pluvieux, il possède aussi un charmant café.

◉ MARMORKIRKEN

☎ 33 15 01 44 ; www.marmorkirken.dk ; Frederiksgade 4 ; entrée libre, coupole

tarif plein/enfant 25/10 DKK ; 🕙 10h-17h lun, mar, jeu et sam, 10h-18h30 mer, 12h-17h ven et dim, coupole 13h et 15h sam-dim sept à mi-juin, 13h et 15h tlj mi-juin à août ; 🚌 1A, 15, 19

L'imposante coupole de la Marmorkirken

La célèbre Petite Sirène du sculpteur Edvard Eriksen

L'église de Marbre, de son vrai nom Frederikskirken, est l'une des plus imposantes réalisations architecturales de Copenhague. Sa coupole, inspirée de celle de Saint-Pierre de Rome, mesure plus de 30 m de diamètre. Les plans originaux de l'église furent dessinés par Nicolai Eigtved à la demande de Frédéric V. Sa construction débuta en 1749, mais les difficultés économiques du Danemark interrompirent les travaux. Ce n'est que durant la seconde moitié du XIXe siècle, lorsque le richissime financier danois C.F. Tietgen accepta de payer la note, que la construction reprit. La coupole, ouverte aux visiteurs le week-end, offre une vue exceptionnelle sur la Suède. L'église ferme à l'occasion des mariages et des funérailles.

🕐 MEDICINSK MUSEUM

☎ 35 32 38 00 ; www.museion. ku.dk ; Bredgade 62 ; tarif plein/réduit 50/30 DKK ; 🕐 visites guidées 13h30, 14h30 et15h30 mer-ven et dim, visites en anglais 14h30 juil et août ; 🚌 1A, 15, 19 Cet intéressant musée aménagé dans un ancien hôpital universitaire relate l'histoire de la médecine, de la pharmacie et de la dentisterie. La collection fait un peu froid dans le dos, avec ses nombreux bocaux remplis de boyaux et ses sinistres schémas. L'atmosphère est particulièrement morbide dans l'amphithéâtre, dans lequel les étudiants ont disséqué des centaines de cadavres.

🛍 SHOPPING

Les amateurs de shopping trouveront leur bonheur dans la majestueuse Bredgade, domaine des commissaires-priseurs, des antiquaires et des marchands d'art ; dans Store Kongensgade, qui court parallèlement à Bredgade au nord, avec un vaste choix de petites enseignes et de restaurants ; mais aussi dans Store Strandstræde et Lille Strandstræde, deux rues situées au nord de Nyhavn qui comptent plusieurs boutiques huppées.

☐ BANG & OLUFSEN
Électronique

☎ 33 11 14 15 ; www.bang-olufsen.com ;
Kongens Nytorv 26 ; ⏱ 10h-18h lun-jeu,
10h-19h ven, 10h-16h sam ; Ⓜ Kongens
Nytorv 🚌 1A, 15, 19, 26 ; ♿

Principale enseigne de la marque
audiovisuelle danoise réputée pour
son design ultra-raffiné. Téléviseurs,
chaînes stéréo et autres articles
électroniques aux lignes épurées.

☐ GALERIE ASBÆK *Art*

☎ 33 15 40 04 ; www.asbaek.dk ;
Bredgade 23 ; ⏱ 11h-18h lun-ven,
11h-16h sam ; Ⓜ Kongens Nytorv
🚌 1A, 11, 15, 19

Acteur majeur du monde de l'art
contemporain depuis plus de
30 ans, Martin Asbæk représente
les meilleurs artistes danois et
plusieurs grands noms étrangers.
Il propose aussi des livres et des
affiches, un peu plus abordables.

☐ KERAMIK OG
GLASVÆRKSTEDET *Céramiques*

☎ 33 32 89 91 ; www.keramikogglas
vaerkstedet.dk ; Kronprinsessegade 43 ;
⏱ 12h-18h mer-ven, 11h-14h sam ;
🚌 26

En retrait du parcours touristique,
cet élégant atelier-galerie est dédié
aux céramistes copenhaguois Ditte
Fischer, Annemette Kissow, Sia Mai
et Leif Hygild. Vous y trouverez
de beaux vases, bols et tasses aux
formes naturelles.

COPENHAGUE >84

☐ KLASSIK MODERNE
MØBELKUNST *Ameublement*

☎ 33 33 90 60 ; www.klassik.dk ;
Bredgade 3 ; ⏱ 11h-18h lun-ven,
10h-15h sam ; 🚌 1A, 15, 19

Ce magasin d'exposition proche de
Kongens Nytorv est le plus grand
de Bredgade, avec une profusion de
meubles représentatifs du design
danois signés Poul Henningsen,
Hans J. Wegner, Arne Jacobsen,
Finn Juhl et Nanna Ditzel. Un
véritable musée de l'ameublement
scandinave du milieu du XXᵉ siècle
à nos jours.

☐ SUSANNE JUUL *Chapeaux*

☎ 33 32 25 22 ; www.susannejuul.dk ;
Store Kongensgade 14 ; ⏱ 11h-17h30
mar-jeu, 11h-18h ven, 11h-14h sam ;
Ⓜ Kongens Nytorv 🚌 1A, 15, 19

LES MEILLEURES
BOUTIQUES DE DESIGN

> **Designer Zoo** (p. 130) – atelier/
> salle d'exposition de jeunes
> designers locaux
> **Illums Bolighus** (p. 62) – grande
> surface du design
> **Hay House** (p. 59) – une profusion
> de meubles, d'étoffes et de bibelots
> en tous genres
> Magasin du **Dansk Design Center**
> (p. 42) – excellents cadeaux
> **Klassik** (ci-dessus) – adresse
> incontournable de Bredgade pour le
> design danois depuis le XXᵉ siècle

Les chapeaux artisanaux de Susanne Juul

Que vous cherchiez un couvre-chef original ou quelque chose de plus discret, c'est probablement ici que vous trouverez les meilleurs chapeaux de la ville (de 275 à 5 000 DKK).

🍽 SE RESTAURER

🍽 1.TH

Européen contemporain/ danois   €€€

☎ 33 93 57 70 ; www.1th.dk ; Herluf Trolles Gade 9 ; ☺ sur invitation uniquement, dîner mer-sam ; Ⓜ Kongens Nytorv, 🚌 1A, 11, 15, 19, 26
Ce "restaurant" unique, dont le nom signifie "1er étage, sur la droite", organise des soirées privées dans un appartement classique de Copenhague. Mette Martinussen y reçoit ses hôtes dans un salon/salle à manger somptueusement décoré. Il faut réserver et payer la note de 1 250 DKK (vin compris) longtemps à l'avance, avant de recevoir une invitation pour une soirée conviviale autour d'un dîner de plusieurs plats. Une expérience originale et vivement recommandée, rehaussée par une cuisine dano-européenne contemporaine.

🍽 CAP HORN *Danois*   €€€
☎ 33 12 85 04 ; www.caphorn.dk ; Nyhavn 21 ; ☺ 9h-1h (fermeture des cuisines à 23h) ; Ⓜ Kongens Nytorv 🚌 1A, 11, 15, 26, 20E

Un éternel favori parmi les rares établissements intéressants de Nyhavn. Plus raffiné que la plupart des restaurants du quartier, il sert une cuisine franco-danoise accomplie et propose un bon choix de smørrebrød au déjeuner. En hiver, une cheminée rend l'endroit idéal pour expérimenter la chaleureuse ambiance du hygge (p. 152).

🍴 CUSTOM HOUSE
International €€€

☎ 33 31 01 30 ; www.customhouse.dk ; Havnegade 44 ; ⏰ 11h30-0h lun-mer et dim, 11h30-1h jeu, 11h30-2h ven-sam ; 🚌 29, navette fluviale Nyhavn ; ♿

Le complexe gastronomique récemment ouvert par Sir Terence Conran occupe l'ancien terminal des ferries, d'où partaient les bateaux pour la Suède. En plus d'un petit traiteur, le bâtiment regroupe trois beaux restaurants haut de gamme (souvent fréquentés par les yuppies). Au **Bacino**, la carte italienne est contemporaine mais authentique, avec des langoustines et leur risotto au potiron, ou un filet de flétan aux courgettes, basilic et crème d'amandes. **Ebisu** propose un éventail étonnamment complet de spécialités japonaises, tandis que le **Grill Bar** se présente comme un

Le Cap Horn (p. 85), une adresse raffinée pour déguster une bière et des *smørrebrød*

grill huppé et décontracté de style new-yorkais. La cuisine et le service sont de qualité inégale, mais le cadre, tout en boiseries sombres et en ardoise, est impeccable et sophistiqué.

DAMINDRA *Japonais* €€€
☎ 33 12 33 75 ; www.damindra.dk ; Holbergsgade 26 ; 🕑 11h-22h mar-sam ; 🚌 11, 29

Un cadre reposant, un personnel aguerri et des délices japonais inoubliables distinguent ce joyau méconnu. Damindra, le propriétaire, a dessiné tout l'équipement, des couverts aux chaises. Mais surtout, il a transmis sa fierté et sa passion aux chefs japonais : des sashimis au tempura de crevettes, toute la cuisine exalte la fraîcheur et le goût, rehaussés par une présentation soignée. La "Suggestion du chef" (menu de sushis, 368 DKK) constitue une excellente initiation gastronomique, à compléter par de fabuleux desserts (comme la crème brûlée au chocolat et sa glace parfum Earl Grey) et un *soju* au vin de prunes offert par la maison.

EMMERYS *Boulangerie* €
☎ 33 93 01 33 ; www.emmerys.dk ; Store Strandstræde 21 ; 🕑 8h-18h lun-jeu, 7h30-18h30 ven, 8h-17h sam-dim ; 🚌 1A, 11, 15, 19 ; ♿

Cette chaîne huppée et branchée compte de nombreuses enseignes

de boulangerie-café-traiteur dans Copenhague (à Nørrebro, Vesterbro et Østerbro). Elle commercialise sa propre marque de café et vend des gâteaux, des muffins, du pain, du vin et du chocolat. Irrésistible et incontournable pour une sortie le week-end.

LE SOMMELIER *Français* €€€
☎ 33 11 45 15 ; www.lesommelier.dk ; Bredgade 63 ; 🕑 12h-14h et 18h-22h lun-jeu, 12h-14h et 18h-23h ven, 18h-23h sam, 18h-22h dim ; 🚌 1A, 15, 26

Une adresse idéale pour un repas gastronomique à prix raisonnable, dans un cadre chic et sobrement décoré de vieilles affiches. Le chef y allie les traditions françaises aux produits de saison nordiques pour des créations mémorables, tel le homard norvégien accompagné de sa bisque et d'une salade de crabe. Les saveurs sont franches et authentiques, et la carte des vins français, impressionnante. Réservez.

OFELIA *Danois* €€€
☎ 33 69 39 31 ; www.kglteater.dk ; Skuespilhuset (Théâtre royal), Sankt Annæ Plads 36 ; 🕑 11h-21h lun-sam ; 🚌 11, 29, navette fluviale Nyhavn

La terrasse donnant sur l'eau et la fraîcheur des spécialités nordiques font la renommée d'Ofelia. Installé dans le Skuespilhuset (p. 91), c'est aussi un endroit charmant pour prendre un verre.

Toke Lykkeberg
Critique d'art, conservateur et codirecteur de l'IMO Gallery (voir p. 129)

Pour s'informer sur l'art… Voir www.kopenhagen.dk. **La scène artistique copenhaguoise est…** Répartie sur trois grands secteurs. Le premier, centré sur Bredgade et Store Kongensgade, regroupe les principales galeries de vente, dont la Galleri Christina Wilson (p. 81). À Vesterbro, Kødbyen abrite la V1 Gallery (p. 129), spécialiste de l'art urbain, et la Galleri Bo Bjerggaard, plus classique. Plus loin vers l'ouest se trouve la nouvelle galerie branchée Ny Carlsberg Vej 68 (p. 129). **Les artistes contemporains les plus talenteux…** Les artistes conceptuels Olafur Eliasson, Jeppe Hein et Elmgreen & Dragset ; Tal R pour ses peintures figuratives et colorées proches de l'abstrait ; et le designer Henrik Vibskov pour ses défilés de mode scandaleux. Le groupe d'art social Superflex a réalisé des projets extrêmement variés, d'un système de biogaz pour l'Afrique à des copies abordables de meubles danois. **À ne pas manquer…** La Ny Carlsberg Glyptotek (p. 42) pour ses tableaux de Manet, sa grande collection Rodin et son incroyable jardin d'hiver.

⚈ RESTAURANT AOC
Danois contemporain €€€

☎ 33 11 11 45 ; www.premisse.dk ; **Dronningens Tværgade 2** ; ⏰ 18h-22h mar-sam ; Ⓜ Kongens Nytorv ; 🚌 1A, 11, 15, 19,

Installé dans la cave voûtée d'une demeure historique, ce restaurant vous garantit une expérience culinaire hors du commun. Les chefs Ronny Emborg et Michael Munk se procurent les meilleurs ingrédients locaux et leur appliquent avec dévouement et perspicacité les techniques françaises apprises dans plusieurs restaurants étoilés. Christian Aarø Mortensen, le sommelier de la maison, est un véritable expert du vin qui peut s'appuyer sur une carte exceptionnelle (à dominante française).

⚈ RESTAURANT D'ANGLETERRE
Danois/français €€€

☎ 33 37 06 45 ; www.dangleterre.dk ; **Hotel d'Angleterre, Kongens Nytorv 34** ; ⏰ 7h-22h dim-jeu, 7h-23h ven- sam ; Ⓜ Kongens Nytorv ; 🚌 1A , 11, 15, 19, 26

Si la plupart des restaurants d'hôtel se révèlent décevants, la table du cinq-étoiles Hotel d'Angleterre prépare en revanche une séduisante cuisine franco-danoise à partir des meilleurs produits crus du pays. La salle à manger, élégante et étincelante, donne sur la plus belle place de Copenhague.

⚈ SALT
Danois contemporain/français €€€

☎ 33 74 14 44 ; www.saltrestaurant. dk ; **Toldbodgade 24-28** ; ⏰ 12h-16h et 17h-22h ; 🚌 29 ; ♿

Ce charmant hôtel-restaurant conçu par Terence Conran occupe un ancien hangar à blé du XVIIIᵉ siècle, près du nouveau théâtre. Fruits de mer, viandes biologiques et gibier de la région figurent régulièrement sur son ambitieuse carte franco-danoise, avec des préparations comme le confit de lotte, le crabe croustillant à la grenade ou le carré de lapin rôti.

⚈ TASTE *Café français* €

☎ 33 93 77 97 ; www.tastedeli.eu ; **Store Kongensgade 80-82** ; ⏰ 9h30-18h lun-ven, 10h-18h sam-dim ; 🚌 1A, 15, 19 ; ♿

À l'angle de la Marmorkirken, ce délicieux café-traiteur tenu par un Français propose gâteaux, pain, salades et chocolats maison, souvent biologiques, ainsi que les meilleurs muffins de Copenhague (sur place ou à emporter).

⚈ WOKSHOP CANTINA
Asiatique €

☎ 33 91 61 21 ; www.wokshop.dk ; **Ny Adelgade 6** ; ⏰ 12h-14h, 17h30-22h lun-ven, 18h-22h sam ; Ⓜ Kongens Nytorv ; 🚌 1A, 11, 15, 19, 26

Cuisine thaï contemporaine de style Wagamama et d'un bon rapport qualité/prix à proximité de Kongens Nytorv, derrière l'Hotel d'Angleterre.

⅄ PRENDRE UN VERRE

⅄ PALÆ BAR *Pub*

☎ 33 12 54 71 ; Ny Adelgade 5 ; ⏱ 11h-1h lun-mer, 11h-3h jeu-sam, 16h-1h dim ; Ⓜ Kongens Nytorv 🚌 1A, 11, 15, 19, 26
Ce pub désuet au cadre chaleureux est apprécié des journalistes, écrivains et hommes politiques bien établis.

⅄ UNION BAR *Bar à cocktails*

☎ 41 19 69 76 ; www.theunionbar.dk ; Store Strandstræde 19 ; ⏱ 20h-2h mer-jeu, 16h-3h ven, 20h-3h sam ; 🚌 1A, 11, 15, 20E
Inspiré des bars clandestins apparus à l'époque de la prohibition à New York – le nom des cocktails dérive de l'argot des années 1920 –, l'Union se cache derrière une discrète porte noire. Pour entrer, sonnez et descendez les marches jusqu'au comptoir tenu par de charmants barmen et rejoignez les habitués dans une douce ambiance jazz et blues.

★ SORTIR

★ DET KONGELIGE TEATER (THÉÂTRE ROYAL) *Théâtre*

☎ 33 69 69 69 ; www.kglteater.dk ; Kongens Nytorv ; Ⓜ Kongens Nytorv 🚌 1A, 11,15, 19, 26 ; ♿
Depuis le transfert des représentations théâtrales au Skuespilhuset (p. 91), sur le port, et des opéras dans le magnifique bâtiment du nouvel Opéra (p. 100), la traditionnelle Gamle Scene ("ancienne scène") de Kongens Nytorv est réservée aux excellentes productions du Ballet royal danois. L'édifice actuel, quatrième théâtre construit sur le site, fut conçu par Vilhelm Dahlerup et Ove Petersen, et achevé en 1872. Les statues près de l'escalier représentent le dramaturge du XVIIIe siècle Ludvig Holberg et le célèbre poète Adam Oehlenschläger. Les passionnés de ballet au budget limité peuvent se présenter au **guichet** (☎ 33 69 69 69 ; August Bournonvilles Passage 1 ; ⏱ 14h-18h lun-sam) à partir de 18h le jour de la représentation, lorsque les billets restants sont vendus à moitié prix.

LES DEMEURES DE HANS CHRISTIAN ANDERSEN

Bien que devenu riche, Hans Christian Andersen ne fut jamais propriétaire de son logement, mais loua successivement trois appartements dans Nyhavn : tout d'abord au n°20, où il commença à écrire les *Contes* qui le rendirent célèbre dans le monde entier, puis au n°67, où il resta 17 ans, et enfin au n°18. Voyageur infatigable, il alla jusqu'à Istanbul et parcourut l'Afrique du Nord, mais il aimait également observer la vie sur le canal, laissant son esprit vagabonder vers de lointaines contrées. Voir aussi p. 45.

La statue du poète Adam Oehlenschläger

⭐ SIMONS *Discothèque*
☎ 53 38 90 03 ; www.simonscopenhagen. com ; Store Strandstræde 14 ; ⏱ ven-sam ; 🚌 1A, 11, 15, 19
Création originale des promoteurs Simon Frank et Simon Lennet, c'est la nouvelle discothèque branchée de Copenhague. Aménagée dans une ancienne galerie d'art, elle revendique les meilleurs DJ et barmen de la capitale. Musique électronique sélective et service d'accueil des plus sévères (l'accès est un peu plus aisé le vendredi). Avec une carte SIM danoise, vous pouvez vous abonner à la newsletter sur Internet.

⭐ SKUESPILHUSET (THÉÂTRE ROYAL DANOIS) *Théâtre*
☎ 33 69 69 69 ; www.kglteater.dk ; Sankt Annæ Plads 36 ; tarifs variables 50-710 DKK, -50% pour les -25 ans et + 65 ans ; 🚌 11, 29, navette fluviale Nyhavn ; ♿
Dessiné par Boje Lundegaard et Lene Tranberg, ce remarquable édifice accueille la troupe du Théâtre royal danois, qui y propose un excellent répertoire de pièces danoises et étrangères – le public a récemment pu y voir *Jeppe de la montagne* de Ludvig Holberg et *4:48 Psychose* de Sarah Kane. Les places sont souvent vendues longtemps à l'avance, mais celles qui restent sont cédées à moitié prix au **guichet** (☎ 33 69 69 69 ; ⏱ 12h-20h) à partir de 18h le jour même de la représentation.

>CHRISTIANSHAVN ET ISLANDS BRYGGE

Ses vieux canaux, ses églises biscornues, ses demeures du XVIIIᵉ siècle et ses remparts verdoyants font de Christianshavn l'un des quartiers les plus charmants de Copenhague. Dans ce secteur à dominante résidentielle, vivent des artistes aisés, de jeunes cadres surmenés en quête de bien-être et une importante communauté groenlandaise. Au beau milieu de tout cela, comme un vieux parent rebelle que l'on aimerait oublier, se trouve Christiania (p. 94), la "communauté alternative" fondée en 1971 et installée dans des casernes. Au nord-est, Holmen est une ancienne base navale et zone industrielle qui regroupe aujourd'hui les instituts nationaux du cinéma et d'architecture, de coûteux appartements au bord de l'eau et le magnifique édifice du nouvel Opéra (p. 100).

De l'autre côté d'Amager Boulevard, au sud de Christianshavn, s'étend l'un des secteurs les plus prometteurs de la capitale, Islands Brygge. Doté d'une remarquable piscine sur le port (p. 100), le quartier ne s'anime vraiment qu'en été, lorsqu'il prend des allures de plage en pleine ville. En hiver, en revanche, on se demande bien ce qu'il a de si attrayant…

CHRISTIANSHAVN ET ISLANDS BRYGGE

◉ VOIR
Entrée de Christiania 1 C3
Christians Kirke 2 B4
Gammel Dok 3 C3
Overgaden 4 C3
Vor Frelsers Kirke 5 C3

⊞ SE RESTAURER
Aristo 6 B4
Bastionen og Løven 7 C4
Café Wilder 8 C3

Lagkagehuset 9 C4
Morgenstedet 10 D3
Noma 11 C3
Spiseloppen 12 C3
Sweet Treat 13 C3
Tobi's Café 14 B5
Viva 15 B4

⅀ PRENDRE UN VERRE
Sofie Kælderen 16 C4

★ SORTIR
Opéra de Copenhague .. 17 D2
Islands Brygge
    Havnebadet 18 A4
Koncerthuset 19 C6
Loppen ....(voir 12)

👁 VOIR

👁 CHRISTIANIA
☎ 32 95 65 07 ; www.christiania.org ;
Prinsessegade ; Ⓜ Christianshavn 🚌 66
Né à la fin des années 1960, le
rêve d'une société autosuffisante
et utopique fondée sur l'amour
libre et les plaisirs chimiques,
a récemment tourné court. La
police a mis fin à la vente libre de
drogues douces, ce qui n'a pas
empêché une aggravation de la
violence liée aux stupéfiants dans
un quartier également confronté
à l'alcoolisme. Le mode de vie
complètement "étranger" de
Christiania constitue malgré tout
une expérience initiatique pour
les visiteurs. L'entrée principale
se trouve dans Prinsessegade, à

200 m au nord-est de l'intersection
avec Bådmandsstræde. Un petit
marché se tient sur la droite et
le site compte aussi quelques
cafés-restaurants et de véritables
artisans. Vous pouvez faire la visite
de Christiania avec un habitant :
rendez-vous derrière l'entrée
principale, le week-end à 15h (tous
les jours en juillet et août). Voir
aussi p. 12.

👁 CHRISTIANS KIRKE
☎ 32 54 15 76 ; Strandgade 1,
entrée libre ; 🕐 10h-16h mar-dim ;
Ⓜ Christianshavn 🚌 2A, 19, 47, 66,
350S, navette fluviale Knippelsbro
Achevée en 1759, l'église conçue
par Nicolai Eigtved ressemble à un
théâtre et accueille fréquemment
des récitals de musique classique

ESCAPADES ESTIVALES
Amager Strandpark (Ⓜ Amager Strand) est une lagune artificielle ourlée de sable, à
10 minutes de Christianshavn, sur la route côtière pour l'aéroport. Destination réputée pour
ses sports nautiques, dotée de plusieurs bars et cafés estivaux, elle offre une vue magnifique
sur le pont d'Øresund.
   Vous trouverez cocktails et parasols au prestigieux "beach club" Halvandet (☎ 70 27
02 96 ; www.halvandet.dk ; Refshalevej 325 ; 🕐 fin avr à mi-sept ; 🚌 navette fluviale
Halvandet ; 🚌 40, puis 30 minutes à pied), sur la pointe nord de Holmen, à 1,5 km au nord
de l'Opéra. L'endroit incontournable pour bronzer et se montrer.
   À 20 minutes au nord de Copenhague, sur la Côte d'Azur danoise, la petite plage
de Bellevue (🚆 S-tog Klampenborg) séduit elle aussi la belle jeunesse avec un sable
immaculé. L'excellent restaurant franco-danois Den Gule Cottage (☎ 39 64 06 91 ; www.
dengulecottage.dk ; Strandvejen 506, Klampenborg ; 🕐 12h-17h, et 18h-22h dim-jeu,
18h-0h ven-sam ; 🚆 S-tog Klampenborg) domine la plage.
   Plus loin, sur la côte nord du Seeland, les villages de pêcheurs assoupis voisinent avec
de belles plages de sable, dont Gilleleje et Hornbæk (accessibles en train depuis Helsingør).

À Christianshavn, l'art s'expose aussi dans la rue

(des brochures à l'entrée détaillent le programme).

◉ GAMMEL DOK

☎ 32 57 19 30 ; www.dac.dk ; Strandgade 27B ; exposition tarif plein/réduit 40/25 DKK, enfant gratuit ; 🕙 10h-17h jeu-mar, 10h-21h mer ; Ⓜ Christianshavn 🚌 2A, 19, 47, 66, 350S ; ♿

Installé dans un ancien entrepôt du XIXᵉ siècle, le Dansk Arkitektur Center propose des expositions temporaires consacrées à l'architecture danoise et

internationale, ainsi qu'une excellente librairie.

◉ OVERGADEN

☎ 32 57 72 73 ; www.overgaden.org ; Overgaden Neden Vandet 17 ; entrée libre ; 🕙 13h-17h mar, mer et ven-dim, 13h-20h jeu ; Ⓜ Christianshavn 🚌 2A, 19, 47, 66, 350S

En retrait du parcours touristique, cette galerie programme d'audacieuses expositions d'art contemporain et de photographies, généralement l'œuvre de jeunes artistes.

COPENHAGUE GRATUIT

Copenhague a la réputation d'être chère, mais beaucoup de ses meilleurs sites ouvrent gratuitement au moins un jour par semaine. Sauf mention contraire, les curiosités suivantes sont accessibles librement toute la semaine.

> **Assistens Kirkegård** (p. 104)
> **Christiania** (p. 94)
> Les églises, dont **Marmorkirken** (p. 82) et **Vor Frelsers Kirke** (ci-dessous)
> **Davids Samling** (p. 118)
> **Den Hirschsprungske Samling** (gratuit mercredi ; p. 118)
> **Folketinget** (p. 76)
> **Frihedsmuseet** (p. 80)
> **Kastellet** (p. 81)
> **Københavns Bymuseet** (gratuit vendredi ; p. 128)
> **Petite Sirène** (p. 82)
> **Nationalmuseet** (p. 42)
> **Ny Carlsberg Glyptotek** (gratuit dimanche ; p. 42)
> **Ny Carlsberg Vej 68** (p. 129)
> **Statens Museum for Kunst** (p. 120)
> **Thorvaldsens Museum** (gratuit mercredi ; p. 77)
> **Tøjhusmuseet** (gratuit mercredi ; p. 77)

🎧 VOR FRELSERS KIRKE (ÉGLISE DE NOTRE-SAUVEUR)

☎ 32 57 27 98 ; Sankt Annæ Gade 29 ; entrée libre, clocher tarif plein/enfant 25/10 DKK ; 🕙 église 11h-15h30, tour 11h-16h ; Ⓜ Christianshavn 🚌 2A, 19, 47, 66, 350S

Cette église du XVIIe siècle proche de Christiania (p. 94) est célèbre pour son extraordinaire flèche en spirale. Il faut avoir le cœur bien accroché pour escalader les 400 marches jusqu'au sommet, à 95 m de hauteur, étant donné que les 150 dernières marches se trouvent à l'extérieur et s'étrécissent jusqu'à disparaître

complètement ! La flèche fut ajoutée à en 1752 par Lauritz de Thurah, qui s'inspira de la tour créée par Borromini pour l'église Sant'Ivo à Rome.

🍴 SE RESTAURER

🍴 **ARISTO** *Méditerranéen* €€

☎ 32 95 83 30 ; www.cafearisto.dk ; Islands Brygge 4 ; 🕙 11h-0h lun-jeu, 11h-2h ven, 10h-2h sam, 10h-23h dim ; 🚌 5A, 12, 33, 34, 40, 250S ; ♿

Au cœur de l'animation d'Islands Brygge, ce spacieux café-restaurant contemporain sert une séduisante cuisine actuelle aux accents

René Redzepi
Chef cuisinier chez Noma (voir p. 99)

Les caractéristiques de la cuisine nordique… Conscience du temps et de l'espace, pureté, nature, engagement, patience et détermination. Je puise mon inspiration dans les paysages nordiques, les mémoires et les conversations entre producteurs et les personnes vivant dans la nature. **Un ingrédient local méconnu…** le troscart maritime, une plante au goût de coriandre qui pousse sur l'île de Seeland. **Son héritage macédonien…** Il me permet d'envisager différents emplois et techniques de cuisson pour les produits locaux. Beaucoup de Danois ne connaissent certains aliments et méthodes qu'à travers un seul plat. **Les incontournables pour les gastronomes…** Les traditionnels *smørrebrød* (tartines garnies) chez Schønnemann (p. 67) et le poisson frais du Kødbyens Fiskebar (p. 132).

danois et fusion, tel que le pot au feu de caille ou le filet de porc saltimbanque (roulés de porc farcis).

🍴 BASTIONEN OG LØVEN
Danois €€€

☎ 32 95 09 40 ; www.bastionen-loven.dk ; Christianshavns Voldgade 50 ; 10h-0h ; 🚌 2A, 19, 47, 66, 350S
Ce charmant café-restaurant se trouve près d'un ancien moulin, sur les remparts, juste au sud de Christiania. Son jardin est idéal pour un brunch traditionnel à la mode copenhaguoise – fromage, saumon fumé, omelette, pancakes, fruit frais, yaourt, bacon, café, jus de fruits, etc. – par un beau dimanche matin.

🍴 CAFÉ WILDER *Café* €€
☎ 32 54 71 83 ; Wildersgade 56 ; 🕐 9h-0h lun, 9h-1h mar et mer, 9h-2h jeu-ven, 9h30-2h sam, 9h30-0h dim ; Ⓜ Christianshavn 🚌 2A, 19, 47, 66, 350S ; ♿
Ce petit café accueillant et décontracté situé au cœur de Christianshavn sert des plats

simples mais agréables, comme la *bruschetta* de chèvre gratiné et le filet de coquelet rôti aux légumes sautés. L'un des plus anciens cafés de la capitale, il séduit la Copenhague bohème.

🍴 LAGKAGEHUSET
Boulangerie €

☎ 32 57 36 07 ; www.lagkagehuset.dk ; Torvegade 45 ; 🕐 6h-19h lun-ven, 6h-18h sam-dim ; Ⓜ Christianshavn 🚌 2A, 19, 47, 66, 350S ; ♿
Cette enseigne très réputée, récemment élue meilleure boulangerie de la ville, vend d'excellent sandwichs, ainsi que les habituelles pâtisseries sucrées et le copieux pain de seigle.

🍴 MORGENSTEDET
Végétarien €

Langgade, Christiania ; 🕐 12h-21h mar-dim ; Ⓜ Christianshavn 🚌 66
Ce petit restaurant à l'atmosphère hippie se niche en plein cœur de la communauté alternative de Christiania. Il ne propose qu'un plat du jour (généralement un curry),

UN DANOIS ORIGINAIRE DE VIENNE
Dans tout le pays, les boulangeries proposent bien souvent les mêmes pâtisseries feuilletées riches en sucre et garnies d'amandes, parfois fourrées d'un peu de confiture ou de crème. Les Danois les dénomment *wienerbrød* (littéralement "pain viennois") et, grands amateurs de saveurs sucrées, les dégustent au petit-déjeuner. Les livres d'histoire nous apprennent que *wienerbrød* est le terme le plus approprié puisque cette pâtisserie est apparue en Autriche au XVIIIᵉ siècle.

toujours végétarien et souvent biologique, à un prix imbattable.

🍴 NOMA

Nordique contemporain €€€

☎ **32 96 32 97 ; www.noma.dk ; Strandgade 93 ;** ⏰ **12h-13h30 et 18h-22h mar-sam ;** 🚌 **2A, 19, 47, 66, 350S ;** ♿

Lauréat 2010 du prix San Pellegrino du meilleur restaurant du monde, cette table étoilée Michelin est dirigée par René Redzepi (un ancien du Bulli et du French Laundry). La carte propose uniquement des produits scandinaves – bœuf musqué, *skyr* (lait caillé) et fruits de mer – transformés en créations extraordinaires et innovantes d'influence nordique (comme le poulpe aux pousses d'oseille, prunelles, mûres et jaune d'œuf). Réservez trois mois à l'avance.

🍴 SPISELOPPEN

International €€

Langgade, Christiania ; ☎ **32 57 95 58 ; www.spiseloppen.dk ;** ⏰ **17h-22h mar-dim ;** Ⓜ **Christianshavn** 🚌 **66**

Cet ambitieux restaurant installé dans l'immeuble du Loppen décline une carte internationale, qui varie en fonction de la nationalité du chef aux commandes ce soir-là !

🍴 SWEET TREAT *Café* €

☎ **32 95 41 15 ; www.sweettreat.dk ; Sankt Annæ 3A ;** ⏰ **7h30-19h lun-ven,**

À quai pour un dîner au Noma

10h-18h sam-dim ; Ⓜ **Christianshavn** 🚌 **2A, 19, 66, 350S**

Décontracté, avec ses ampoules suspendues, ses magazines branchés et ses platines (disques au choix), cette charmante adresse de quartier prépare un excellent café et des milk-shakes de saison (au lait de soja également). Il propose des flocons d'avoine au petit-déjeuner et des *smørrebrød* frais à seulement 28 DKK. Délicieux sandwich aux boulettes de poisson, concombre haché et rémoulade maison.

🍴 TOBI'S CAFÉ *Café* €

☎ 88 38 80 83 ; Leifsgade 3 ; ⏰ 8h-19h lun-jeu, 8h-0h ven, 10h-0h sam, 10h-17h dim ; Ⓜ Islands Brygge

Cet établissement apprécié des habitants sert un bon café, des pâtisseries et des en-cas (œufs au seigle, fromage et salami).

🍴 VIVA *International* €€

☎ 27 25 05 05 ; www.restaurantviva. dk ; Langebrogade Kajplads 570 ; ⏰ 11h30-15h et 17h30-0h lun-jeu, 11h30-15h et 17h30-1h ven-sam, 17h30-21h dim ; 🚌 5A, 12, 33, 40, 250S

Ce restaurant unique, installé sur un bateau amarré près de Langebro, est tenu par l'équipe de l'Aura. Il propose une carte inventive de tapas contemporaines.

🍸 PRENDRE UN VERRE

🍸 SOFIE KÆLDEREN
Bar à DJ/jazz

☎ 32 57 77 01 ; www.sofiekaelderen. dk ; Over Gaden Oven Vandet 32 ; ⏰ 11h30-0h lun-mer, 11h-3h jeu-sam, 11h-22h dim ; Ⓜ Christianshavn 🚌 2A, 19, 47, 66, 350S

Cet ancien bar à jazz vieillot aménagé dans un caveau proche du canal est devenu une adresse décontractée, qui programme des concerts et sert une cuisine internationale (midi et soir).

⭐ SORTIR

⭐ OPÉRA DE COPENHAGUE
Concerts

Box office ☎ 33 69 69 69 ; www. kglteater.dk ; Ekvipagemestervej 10 ; billets 375-895 DKK, places debout 115 DKK, -50% pour les -25 ans et +65 ans ; ⏰ variables ; 🚌 66, navette fluviale Operaen ; ♿

Ce bâtiment ultramoderne compte deux salles, la scène principale et la plus petite Takkeløftet. Le répertoire couvre tout l'éventail lyrique, des œuvres classiques aux productions contemporaines, et programme quelques spectacles originaux, comme un concert d'Elvis Costello ou un événement du Festival de jazz (p. 21). Les billets se vendent souvent longtemps à l'avance, mais les places restantes sont cédées à demi-tarif au guichet de l'opéra, à partir de 18h le jour de la représentation. Nombre de visiteurs viennent simplement manger au restaurant panoramique franco-danois ou au café du rez-de-chaussée, ou encore découvrir le bâtiment avec un guide. Visites guidées samedi et dimanche à 9h30 et 16h30 (100 DKK).

⭐ ISLANDS BRYGGE HAVNEBADET *Natation*

☎ 23 71 31 89 ; Islands Brygge, près de Langebro ; entrée libre ; ⏰ 7h-19h lun-ven, 11h-19h sam-dim juin-août ; 🚌 5A, 12, 33, 34, 40, 250S

Le nouvel Opéra de Copenhague accueille des représentations lyriques

Cette piscine publique conçue par les architectes novateurs de l'agence danoise Plot est sans doute la plus originale qui soit. Il faut un certain courage pour plonger dans le port de Copenhague, bien que la propreté des eaux soit régulièrement vérifiée. Ceux que la baignade ne tente pas peuvent profiter des pelouses, des rampes de skateboard, des terrains de basket, des restaurants et des cafés. Atmosphère démente pendant les congés d'été.

★ KONCERTHUSET
Concerts live
☎ 35 20 30 40 ; www.dr.dk/
Koncerthuset/ ; Emil Holms Kanal 20 ;
Ⓜ Universitetet, 🚌 33, 77, 78 ; ♿

Siège de l'Orchestre symphonique national, la "Maison des concerts" de Jean Nouvel – reconnaissable à ses façades bleu électrique – propose un programme des plus variés, des récitals classiques à la musique expérimentale.

★ LOPPEN *Concerts live*
☎ 32 57 84 22 ; www.loppen.dk ;
Christiania ; 🕐 21h-2/3h ; tarifs
variables, de gratuit à 240 DKK ;
Ⓜ Christianshavn 🚌 66
Cet ancien entrepôt en bois de Christiania reste l'une des meilleures salles de concerts de la capitale. On peut y entendre tous les genres musicaux – punk, reggae, funk et world music – et continuer la fête jusqu'à l'aube.

>NØRREBRO ET ØSTERBRO

Nørrebro et Østerbro sont deux quartiers voisins qui n'ont toutefois rien en commun. Le premier, animé et branché, voire provocateur, recèle une grande diversité ethnique ; le second, tranquille et un peu snob, séduit davantage les familles. Ancien quartier ouvrier, Nørrebro accueille aujourd'hui une importante communauté d'immigrés et est parfois le théâtre d'émeutes – la dernière en date : une longue et violente manifestation contre la fermeture du vieux squat d'Ungdomshuset, en mars 2007. Mais Nørrebro est aussi à l'avant-garde de la mode et offre une vie nocturne trépidante.

Østerbro, le "quartier des ambassades", compte quelques bon magasins et restaurants de catégorie moyenne, ainsi que le plus grand parc de la capitale, le Fælledparken (p. 105), qui abrite le stade national du Parken (p. 115).

Nørrebro et Østerbro se trouvent respectivement au nord-ouest et au nord-est du centre-ville, dans un secteur compris entre Vesterbro–Frederiksberg à l'est, et Nordhavn, le port situé au nord.

NØRREBRO ET ØSTERBRO

☉ VOIR

Assistens Kirkegård	1	B3
Fælledparken	2	D2
Zoologisk Museum	3	C2

🛍 SHOPPING

Antikhallen	4	C4
Frederiksen	5	C4
Frogeye	(voir 20)	
Fünf	6	B4
Normann	7	D2
Velour	(voir 21)	

🍴 SE RESTAURER

Bodega	8	B4
Café Ñ	9	C4
Dag H	10	E3
Fischer	11	E2
Fru Heiberg	12	E2
Kaffesalonen	13	C4
Kiin Kiin	14	B3
Lyst Café	15	A3
Numéro 64	16	E2
Pussy Galore's Flying Circus	17	C3

🍸 PRENDRE UN VERRE

Café Bopa	18	E1
Coffee Collective	19	A3
Harbo Bar	20	C4
Laundromat Café	21	C4
Nørrebro Bryghus	22	C4
Oak Room	23	C3
Tea Time	24	B4

⭐ SORTIR

Gefärlich	25	C4
Parken	26	D2
Rust	27	C3

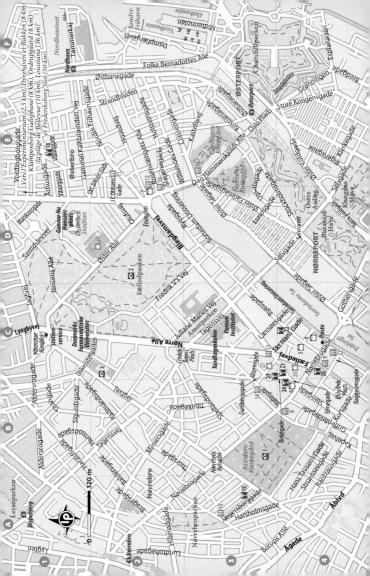

⦿ VOIR

⦿ ASSISTENS KIRKEGÅRD

☎ 35 37 19 17 ; Kapelvej 4, Nørrebro ; entrée libre ; 🕙 8h-16h nov-fév, 8h-18h mars, avr, sept et oct, 8h-20h mai-août ; 🚌 5A, 350S ; ♿

Ce cimetière verdoyant niché au cœur de Nørrebro est la dernière demeure de certains des plus célèbres citoyens danois, dont Hans Christian Andersen, son vieil ennemi Søren Kierkegaard et le physicien Niels Bohr. L'entrée principale se trouve dans Kapelvej, où l'accueil devrait pouvoir vous procurer un plan des lieux.

⦿ EXPERIMENTARIUM

☎ 39 27 33 33 ; www.experimentarium. dk ; Tuborg Havnevej 7, Hellerup ; adulte/ enfant 3-11 ans 148/97 DKK, – 2 ans gratuit ; 🕙 9h30-17h lun et mer-ven, 9h30-21h mar, 11h-17h sam-dim ; 🚌 14 de la Rådhusplads à l'arrêt suivant, Tuborg Blvd ; ♿

Ce gigantesque musée à l'atmosphère frénétique vise à sensibiliser les enfants à la nature, à la technologie, à l'environnement et à la santé. Ses expériences véritablement passionnantes et interactives enthousiasment les plus jeunes. En plus de sa collection permanente, il propose un programme d'expositions temporaires à thème – dinosaures, robots ou "sports et épinards" par exemple. Inauguré en 1991, le musée occupe un espace de 4 100 m^2 juste au nord du centre-ville, dans l'ancien port de la brasserie Tuborg, près du quartier le plus huppé de la capitale. Café et boutique sur place.

MÉRITE LE DÉTOUR

Le **Louisiana** (☎ 49 19 07 19 ; www.louisiana.dk ; Gammel Strandvej 13, Humlebæk ; plein tarif 95 DKK, -18 ans gratuit ; 🕙 11h-23h mar-ven, 11h-18h sam-dim ; 🚉 Humlebæk) est l'un des meilleurs musées d'art moderne de Scandinavie. Outre des œuvres majeures du constructivisme, du pop art et du Nouveau Réalisme, le musée compte une belle salle de concert (récitals classiques le vendredi), un café et une terrasse donnant sur la mer, ainsi qu'une joyeuse section pour les enfants. En plus de sa collection permanente, il organise chaque année entre six et huit expositions temporaires (programme sur le site Internet). Ces manifestations attirent une foule nombreuse, en particulier le week-end. Le musée est installé dans un ancien manoir de 1855 progressivement agrandi, aux abords de l'opulente ville côtière de Humlebæk, à 35 km au nord de Copenhague. Prévoyez 36 minutes de train depuis la gare centrale et 10 minutes de marche jusqu'au musée – suivez les pancartes (tournez à gauche sur la route principale devant la gare de Humlebæk). Voir aussi p. 14.

De petites têtes blondes à l'Experimentarium

◎ FÆLLEDPARKEN
🚌 1A, 15, 42, 43, 150S ; ♿
Le plus vaste parc de Copenhague est un espace vert peu attrayant mais fonctionnel, apprécié des amateurs de football. Il abrite l'immense monolithe en béton du stade national (p. 115), le Parken.

◎ ZOOLOGISK MUSEUM
☎ 35 32 10 01 ; www.zoologi.snm. ku.dk ; Universitetsparken 15, Østerbro ; adulte/enfant 75/40 DKK ; ⏰ 10h-17h mar-dim ; 🚌 18, 42, 43, 150S, 184, 185 ; ♿
L'intéressante collection d'animaux (terrestres et marins) et d'oiseaux naturalisés du Musée zoologique ravit les enfants.

🛍 SHOPPING
Les principales artères commerçantes de Nørrebro sont Nørrebrogade, une rue très fréquentée jalonnée de magasins danois ; Blågårdsgade, située juste à l'ouest, avec quelques beaux cafés et magasins de vêtements ; et Elmegade, le cœur branché du quartier (voire de toute la capitale) où certaines des meilleures boutiques de mode disputent les trottoirs aux restaurants japonais et aux échoppes de bagels. Non loin, Ravnsborggade est l'endroit idéal pour dénicher bijoux anciens, meubles kitsch et antiquités, même si les vendeurs de bibelots et les antiquaires sont progressivement remplacés par les enseignes de mode masculine et féminine.

Østerbrogade est la plus importante rue commerçante d'Østerbro, suivie de près par Nødre Frihavnsgade. Hormis Normann (p. 107) aucune boutique ne justifie vraiment le déplacement jusqu'à Østerbro. Le quartier compte néanmoins un bon choix de magasins aux prix abordables pour les visiteurs lassés de Strøget et des rues voisines.

🏛 ANTIKHALLEN *Antiquités*
☎ 35 35 04 20 ; Sortedams Dossering 7C, Nørrebro ; ⏰ 14h-18h lun-ven, 11h-15h sam ; 🚌 5A, 350S

L'une des meilleures boutiques d'antiquités et de bibelots dans ce secteur spécialisé dans l'ancien, où vous trouverez un vaste éventail de styles et d'époques.

🏠 FREDERIKSEN *Mode*
☎ 35 35 05 66 ; Ravnsborggade 15, Nørrebro ; 🕙 11h-18h mar-ven, 11h-15h sam ; 🚌 3A, 5A, 350S

La boutique qui commercialise la collection ultraféminine de Lise Frederiksen est l'une des nombreuses nouvelles enseignes de mode récemment établies dans ce secteur réputé pour ses antiquaires. Signe de l'attrait du quartier auprès de la jeunesse branchée, Frederiksen compte désormais pour voisins Dico, Stig P, Riktigt et le superbe magasin de cadeaux Kiertner (tous installés dans Ravnsborggade).

🏠 FROGEYE *Chaussures*
☎ 35 37 01 39 ; Blågårdsgade 2a, Nørrebro ; 🕙 10h-18h lun-jeu, 10h-19h ven, 10h-16h sam ; 🚌 3A, 5A, 350S

L'un des meilleurs magasins de chaussures de la ville, avec une vaste gamme de Camper en stock.

Découvrez l'art de préparer un bon café au Coffee Collective (p. 111)

MÉRITE LE DÉTOUR

Dyrehaven (Klampenborg ; 🚉 S-tog Klampenborg ; ♿) est un ancien domaine de chasse royal de 1 000 ha très apprécié des joggeurs, cyclistes, amateurs de rollers et pique-niqueurs (c'est l'endroit où apporter sa luge en saison). Vous pouvez rejoindre le parc en voiture – les places de parking sont limitées – par la route côtière de Klampenborg. En venant de Copenhague, prenez l'embranchement sur la gauche juste après la plage de Bellevue (à droite) et le célèbre complexe d'appartements Bellevue d'Arne Jacobsen (à gauche). Le trajet est néanmoins plus rapide en train – 22 minutes depuis la gare centrale – et la gare de Klampenborg se trouve juste à côté de l'entrée du parc.

Dyrehaven abrite aussi le **Bakken** (☎ 39 63 35 44 ; www.bakken.dk ; Dyrehavevej 62, Klampenborg ; entrée libre, bracelet toutes attractions 219 DKK week-ends, jours fériés et fin juin à mi-août, 199 DKK reste de l'année ; 🕐 tlj en mars-fin août ; 🚉 S-tog Klampenborg, puis 800 m à pied), un parc de loisirs créé en 1538, sans doute le plus vieux du monde. Certains diront qu'il fait vraiment son âge, mais si vous appréciez l'atmosphère des foires à l'ancienne (et faites fi de la nourriture épouvantable et des mauvais cabarets), ses manèges grinçants des années 1970 et ses montagnes russes sans relief vous amuseront beaucoup. Le parc compte 33 attractions, ainsi qu'une quarantaine de cafés et de restaurants. Horaires sur le site Internet.

📷 FÜNF *Mode*

☎ 33 37 13 80 ; www.funf.dk ; Elmegade 2, Nørrebro ; 🕐 11h-18h lun-ven, 11h-15h sam ; 🚌 3A, 5A, 350S, Cette formidable boutique de mode féminine située dans la rue branchée d'Elmegade propose les collections ultratendances de plusieurs créateurs copenhaguois. D'autres enseignes d'avant-garde se trouvent à proximité, notamment Goggle, Resteröds, Bark, Cappalis et, à l'angle de la rue dans Guldbergsgade, Weiz.

📷 NORMANN
Décoration/ameublement/Mode

☎ 35 55 44 59 ; www.normann-copenhagen.com ; Østerbrogade 70, Østerbro ; 🕐 10h-18h lun-ven, 10h-16h sam ; 🚌 1A, 14, 15 ; ♿

Ce nouveau magasin de vêtements et de décoration intérieure occupe un vaste espace de 1 700 m^2 (un ancien cinéma) dans la principale rue commerçante d'Østerbro. Outre sa propre marque d'articles pour la maison (cuvettes à vaisselle en caoutchouc, passoires pliables, verres à cognac sans pied, abat-jour en carton, etc.), il vend aussi des vêtements de sport vintage, des meubles et des articles Alessi, ainsi que des collections griffées Joseph et Resteröds. Un Illums Bolighus (p. 62) en version plus tendance.

📷 VELOUR *Mode*

☎ 35 35 60 64 ; www.velour.se ; Elmegade 21 ; 🕐 11h-18h lun-ven, 11h-15h30 sam ; 🚌 3A, 5A, 350S

Représentante de la mode suédoise, la marque unisexe de Göteborg est un choix optimal pour adopter ce fameux style BCBG. À côté, Resteröds (mêmes horaires) décline un style scandinave plus affirmé, avec des T-shirts imprimés très urbains et des jupes de rockeuses à carreaux.

🍴 SE RESTAURER

🍴 BODEGA *International* €€
☎ 35 39 07 07 ; www.bodega.dk ; Kapelvej 1, Nørrebro ; 🕒 10h-0h lun-jeu, 10h-3h ven-sam, 10h-21h dim ; 🚌 5A, 350S

Depuis qu'il a changé de nom et de style, ce bar à DJ-café-restaurant niché derrière les murs de l'Assistens Kirkegård (p. 104) est devenu une adresse incontournable dans ce quartier ultrabranché. Cuisine fusion aboutie et innovante. Rythmes soul, funk et R&B les vendredi et samedi soirs.

🍴 CAFÉ Ñ *Végétarien* €
☎ 35 35 11 62 ; Blågårdsgade 17, Nørrebro ; 🕒 8h-22h sam-jeu, 8h-0h ven ; 🚌 3A, 5A, 350S

Ce café végétarien propose soupes, hamburgers, smoothies et jus de fruits. La spécialité de la semaine coûte seulement 25 DKK le vendredi après 18h. Arrivez tôt ! Fermeture des cuisines à 21h.

🍴 DAG H *Franco-danois* €€
☎ 35 27 63 00 ; www.dagh.dk ; Dag Hammarskjölds Allé 36-40 ; 🕒 8h-21h30 lun-ven, 10h-21h30 sam, 10h-21h dim ; 🚌 1A, 14, 15 ; ♿

L'ancien temple du café Amokka porte désormais le nom de la rue dans laquelle il se trouve et reste une adresse de choix le week-end, lorsque les jeunes cadres du quartier viennent prendre un brunch en famille (mieux vaut réserver). L'un des plus grands cafés de la capitale, il possède une belle

MÉRITE LE DÉTOUR
L'inauguration, en 2005, de la séduisante extension en verre et en pierre de Zaha Hadid a fait connaître l'**Ordrupgaard** (☎ 39 64 11 83 ; www.ordrupgaard.dk ; Vilvordevej 110, Charlottenlund ; tarif plein 85 DKK, -12 ans gratuit ; 🕒 13h-17h mar et jeu-ven, 13h-19h mer, 11h-17h sam-dim ; 🚆 S-tog Klampenborg, puis 🚌 388 ; ♿) dans le monde entier. Pourtant, ce charmant musée installé dans un manoir du début du siècle dernier, au nord de la capitale, présente toujours la même collection d'art des XIXe et XXe siècles : tableaux de Gauguin (qui était marié à une Danoise et vécut plusieurs années à Copenhague), Renoir et Matisse, œuvres de grands peintres danois comme J.T. Lundbye et Vilhelm Hammershøj. Le musée intègre l'ancienne demeure du premier designer danois du XXe siècle, Finn Juhl. Joli café, agrémenté d'une terrasse en été.

Un remarquable mélange de styles culinaires séduit la clientèle du Bodega

salle contemporaine et une vaste terrasse en été. Petite carte de brasserie française : hamburgers, luxueux sandwichs et salades (le menu de trois plats à 259 DKK est une bonne affaire en soirée). Le Kontra Coffee voisin est le meilleur magasin de cafetières et de percolateurs de Copenhague.

🍴 FISCHER *Italien* €€
☎ 35 42 39 64 ; www.hosfischer.dk ; **Victor Borges Plads 12** ; 🕐 **11h-0h lun-sam, 10h30-15h dim** ; 🚌 **3A**
Aménagé dans un ancien bar ouvrier, ce restaurant de quartier sert une cuisine italienne traditionnelle toujours savoureuse – *linguine* fraîches sauce *aglio e olio* (ail, huile d'olive et piment) par exemple. L'explication est simple : David Fischer, chef et propriétaire des lieux, est un ancien du restaurant étoilé La Pergola, à Rome.

🍴 FRU HEIBERG *Franco-danois* €€€
☎ 35 38 91 00 ; **Rosenvængets Allé 3, Østerbro** ; 🕐 **17h-22h mar-jeu et dim, 17h-23h ven-sam** ; 🚌 **1A, 14, 15**
Cet ancien restaurant grec démodé est devenu l'une des tables les plus appréciées

d'Østerbro pour sa cuisine franco-danoise contemporaine. Tenu par l'équipe du Gefärlich (p. 115), il possède une jolie salle intimiste, invariablement bondée le week-end (réservation recommandée), lorsque la jeunesse de Copenhague s'y réunit pour manger et boire un verre.

🍴 KAFFESALONEN
Franco-danois €€

☎ 35 35 12 19 ; **Pebling Dossering 6, Nørrebro** ; 🕐 8h-0h lun-ven, 10h-0h sam-dim ; 🚌 5A, 350S
Délicieux café-restaurant situé au bord des lacs, qui se déplace même sur une terrasse flottante en été. Parfait pour prendre un verre en soirée.

🍴 KIIN KIIN *Thaïlandais* €€€
☎ 35 35 75 55 ; www.kiin.dk ; **Guldbergsgade 21** ; 🕐 17h30-21h lun-sam ; 🚌 3A, 5A, 350S
Ce restaurant étoilé Michelin n'est certes pas bon marché, mais il concocte de succulentes spécialités thaïlandaises, dont un petit homard au galanga et tamarin glacés. Réservez.

🍴 LYST CAFÉ *Café* €
☎ 82 30 03 39 ; **Jægersborggade 56, Nørrebro** ; 🕐 7h30-23h lun-jeu, 7h30-1h ven, 10h-1h sam, 10h-23h dim ; 🚌 5A, 18, 66, 350S

Vous trouverez dans ce lieu incroyablement kitsch des *wraps* (tortillas roulées) bien frais et d'excellents *kanelsnegle* (roulés à la cannelle).

🍴 NUMÉRO 64
Franco-danois €€€

☎ 35 35 39 00 ; www.cofoco.dk ; **Østerbrogade 64** ; 🕐 18h-21h30 lun-sam ; 🚌 1A, 14, 15
Installé au sous-sol, ce séduisant restaurant aux murs de brique et de verre est géré par le groupe Cofoco (p. 130). La carte saisonnière décline des plats soignés de la nouvelle cuisine nordique : fromage de chèvre aux betteraves marinées et joues de porc glacées et crème de topinambour, oignons grelots, pomme verte et persil. Saveurs originales ; petites portions.

🍴 PUSSY GALORE'S FLYING CIRCUS
International €€

☎ 35 37 68 00 ; www.pussy-galore.dk ; **Sankt Hans Torv 30, Nørrebro** ; 🕐 8h-23h dim-jeu, 9h-23h ven-sam ; 🚌 3A, 5A, 350S ; ♿
Ce pionnier de Sankt Hans Torv reste apprécié pour son emplacement exceptionnel, sur la place la plus animée du quartier, et ses nombreuses tables en terrasse. Astucieuse carte fusion, à prix intéressants.

Il se brasse toujours quelque chose au Nørrebro Bryghus (p. 113)

PRENDRE UN VERRE

C'est à Nørrebro qu'il faut aller pour trouver les bars et les discothèques qui séduisent la jeunesse décontractée de Copenhague.

CAFÉ BOPA *Bar à DJ*

☎ 35 43 05 66 ; www.cafebopa.dk ; Løgstørgade 8, Østerbro ; 🕐 9h-0h lun-mer, 9h-2h jeu, 9h-5h ven, 10h-5h sam, 10h-0h dim ; 🚇 S-tog Nordhavn ; 🚌 1A, 14

Cette place tranquille au cœur d'un quartier résidentiel s'anime le week-end, lorsque les DJ du Bopa montent le volume et que le bar devient l'une des meilleures destinations de drague de la capitale.

COFFEE COLLECTIVE *Café*

☎ 60 15 15 25 ; www.coffeecollective. dk ; Jægersborggade 10, Nørrebro ; 🕐 7h30-20h lun-ven, 9h-18h sam, 10h-18h dim ; 🚌 5A, 18, 66, 350S
Situé sur Jægersborggade, ce minuscule café réjouira le plus exigeant des amateurs. Ses *baristi*

LES QUARTIERS

NØRREBRO ET ØSTERBRO

passionnés préparent un expresso fruité à partir de grains torréfiés sur place.

▼ HARBO BAR *Bar*

Blågårdsgade 2D ⏰ **8h30-0h lun-jeu, 8h30-2h ven, 9h30-2h sam, 9h30-23h dim ;** 🚌 **3A, 5A, 350S**
La nouvelle adresse de prédilection des créateurs de Nørrebro. Décoration issue du recyclage, boissons bon marché et exposition ou performance occasionnelle.

▼ LAUNDROMAT CAFÉ *Café*

☎ **35 35 26 72 ; Elmegade 15, Nørrebro ;** ⏰ **8h-0h dim-jeu, 8h-2h ven, 10h-2h sam ;** 🚌 **3A, 5A, 350S**
Cette joyeuse adresse est une invention de l'Islandais Fridrik Weisshappel, qui transforma l'ancien bar à jus de fruits Morgans en un café-laverie. Les machines à laver sont alignées juste derrière le bar, lui-même décoré de 4 000 livres d'occasion (tous à vendre). Sans aucun doute l'une

Les Copenhaguois viennent faire leur lessive, lire ou retrouver des amis au Laundromat Café

MÉRITE LE DÉTOUR

Considéré comme l'un des plus beaux palais Renaissance d'Europe du Nord, le **Frederiksborg Slot** (☎ 48 26 04 39 ; www.frederiksborgslot.dk ; Hillerød ; 11h-15h nov-mars, 10h-17h avr-oct ; tarifs plein/réduit/enfant 60/50/15 DKK ; S-tog Hillerød, à 40 minutes au nord de Copenhague, puis 10 minutes à pied au centre-ville ;) a été vendu à Frédéric II en 1560 par un notable local. Le nom de "Christiansborg Slot" serait plus approprié puisque c'est ici que naquit Christian IV, en 1577. C'est aussi Christian IV qui fit ériger le splendide château en brique rouge et en grès que l'on voit aujourd'hui. Après un incendie ravageur, en 1859, la reconstruction de l'édifice fut financée par la fondation Carlsberg. Depuis 1877, il abrite le musée d'Histoire du Danemark, qui présente une inestimable collection d'ameublement et d'art.

des adresses les plus originales et agréables de Copenhague !

NØRREBRO BRYGHUS
Brasserie

☎ 35 30 05 30 ; www.noerrebrobryghus.dk ; Ryesgade 3, Nørrebro ; 11h-0h lun-jeu, 11h-2h ven-sam ; 3A, 5A, 350S

Cette brasserie qui réunit sur deux étages un bar et un bon restaurant de catégorie moyenne (salade de crabe et de moules, radis et vinaigrette à la bière) lança la fureur de la micro-brasserie il y a quelques années. Le concept reste toujours aussi innovant et séduisant aujourd'hui.

OAK ROOM *Bar*

☎ 38 60 38 60 ; Birkegade 10, Nørrebro ; 20h-1h mar-mer, 20h-2h jeu, 16h-4h ven, 18h-4h sam ; 3A, 5A, 350S

S'il fallait citer le meilleur endroit pour une soirée mémorable et

arrosée en agréable compagnie, ce serait l'Oak Room. Ce bar à cocktails au cadre minimaliste compte deux salles toujours bondées dans le secteur branché d'Elmegade, juste à l'angle du Rust (p. 115).

TEA TIME *Salon de thé*

☎ 35 35 50 58 ; www.tea-time.dk ; Birkegade 3, Nørrebro ; 14h-18h mar-jeu, 10h-18h ven-sam, 12h-18h dim ; 3A, 5A, 350S

Ce ravissant salon de thé anglais est une adresse improbable mais bienvenue sur la liste des établissements underground et branchés de Nørrebro. Cakes maison, limonade rose, thés raffinés et amuse-gueule y sont servis avec une pointe d'humour postmoderne. Avec son atmosphère intimiste et un peu théâtrale, c'est le genre d'endroits qui illuminent une journée.

Stephan Sander
Concepteur de sites web

Son adresse favorite pour prendre un verre entre amis... Gefärlich (p. 115), dans Fælledvej, possède une agréable terrasse en été, pour boire un verre en écoutant du jazz classique. Le Laundromat Café (p. 112), dans Elmegade, un endroit très accueillant, bondé et distrayant. Très représentatif de Nørrebro. **Son restaurant préféré...** Le café au sommet du musée des PTT (p. 66) et sa magnifique terrasse sur le toit. **Le lieu où fêter un anniversaire...** Famo (p. 131), dans Saxogade, à Vesterbro. Excellent rapport qualité/prix, atmosphère chaleureuse et décontractée, plus une cuisine extra. **Le "trésor caché" de Copenhague...** Le cœur de Nørrebro recèle des merveilles : antiquités modernes, repas bon marché et vêtements originaux. **À ne pas manquer, pour ceux qui ne restent pas longtemps...** Le port, qui fait tout le charme de Copenhague.

Divertissement à grande échelle au Parken

⭐ SORTIR

⭐ **GEFÄRLICH** *Discothèque*

☎ 35 24 13 24 ; Fælledvej 7, Nørrebro ;
🕑 11h-0h mar, 11h-2h mer, 11h-3h jeu,
11h-3h30 ven, 10h-3h30 sam ; 🚌 1A, 14
Un endroit vraiment extraordinaire
à la fois bar, discothèque, restaurant,
salon, café, coiffeur, espace d'art
et de poésie, qui a révolutionné la
scène nocturne de Nørrebro. Il fait le
plein les week-ends et les photos de
ces soirées fiévreuses sont ensuite
publiées sur My Space.

⭐ **PARKEN** *Sports/concerts*

www.parken.dk ; Fælledparken,
Østerbro ; 🚌 1A, 14D
Doté de 22 000 places (40 000 lors
des concerts), le stade national

accueille les matchs de l'excellente
équipe de football locale, le FCK,
des rencontres sportives majeures,
et des concerts pop et rock de
groupes étrangers.

⭐ **RUST** *Discothèque*

☎ 35 24 52 00 ; www.rust.dk ;
Guldbergsgade 8, Nørrebro ; tarifs
variables ; 🕑 21h-5h mer-sam ; 🚌 3A,
5A, 350S ; ♿
Rust est la plus branchée des
grandes discothèques de
Copenhague. Elle offre des
ambiances musicales très diverses
avec une piste de danse, une salle
de concert et un salon. Après 23h,
l'entrée est réservée au plus de
18 ans (mercredi et jeudi) ou aux
plus de 20 ans (vendredi et samedi).

>DE NØRREPORT À ØSTERPORT

Le Danemark est l'un des rares pays du monde auquel le vieux cliché de "terre de contrastes" ne s'applique pas vraiment. Cette partie de la capitale fait néanmoins exception, tant ses curiosités sont diversifiées. On y trouvera d'une part certains des sites les plus représentatifs de Copenhague, ainsi que des merveilles inattendues comme les collections (*samlingerne*) du Hirschsprungske et du Davids. D'autre part, le secteur centré sur Nansensgade forme un quartier agréablement branché qui recèle d'étonnantes boutiques, d'agréables restaurants et des bars décontractés.

Le secteur est délimité au nord par les lacs peu profonds, originellement creusés pour lutter contre les incendies, et au sud par Voldgade, qui prend le nom d'Øster Voldgade après l'intersection avec Gothersgade. Pour les besoins de ce guide, une petite entorse géographique permet d'inclure une zone située au sud (Nørreport s'arrête en réalité à Gothersgade) afin de présenter le Kongens Have et le Rosenborg.

DE NØRREPORT À ØSTERPORT

◉ VOIR

Botanisk Have 1 C3
Davids Samling 2 D3
Den Hirschsprungske
    Samling 3 C2
Kongens Have 4 D3
Rosenborg Slot 5 C3
Statens Museum
    for Kunst 6 D2

🛍 SHOPPING

Frk. Lilla 7 B3
Kendt 8 B4
Last Bag 9 B4

🍴 SE RESTAURER

Aamanns Takeaway 10 C2
Kalaset 11 B3
Orangeriet 12 D3
Sticks 'N' Sushi 13 B3

🍸 PRENDRE UN VERRE

Bankeråt 14 B3
Bibendum 15 B3
Old Mate 16 B4

⭐ SORTIR

Culture Box 17 D3
Filmhusets Cinematek .. 18 D4

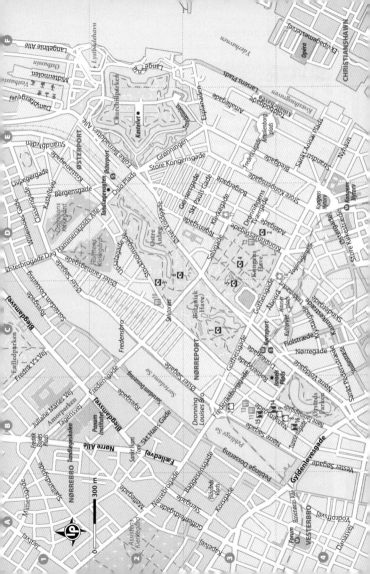

⦿ VOIR

⦿ BOTANISK HAVE

☎ 35 32 22 40 ; www.botanik.snm.
ku.dk ; Gothersgade 128 ; entrée libre ;
🕒 jardins 8h30-18h tlj mai-sept, 8h30-
16h mar-dim oct-avr, serre à palmiers
10h-15h tlj mai-sept, fermé lun oct-avr ;
Ⓜ Nørreport Ⓡ S-tog Nørreport
🚌 6A, 150S, 184, 185, 173E

La belle Palmehus (Serre à palmiers)
est la principale attraction de ces
modestes mais charmants jardins
botaniques, qui rassemblent
20 000 espèces venues de toute
la planète. Un **Musée botanique**
(Gothersgade 130 ; entrée libre ; 🕒 variables)
présente des expositions de plantes
du Danemark, du Groenland
et d'autres pays du monde. Le
parc possède deux entrées : à
l'intersection de Gothersgade et
d'Øster Voldgade, et près d'Øster
Farimagsgade.

⦿ DAVIDS SAMLING

☎ 33 73 49 49 ; www.davidmus.dk ;
Kronprinsessegade 30 ; entrée libre ;

🕒 13h-17h mar et ven-dim, 10h-17h
mer-jeu ; 🚌 11, 26, 350S

Ce véritable joyau culturel accueille
la plus vaste collection d'art
islamique de Scandinavie (au
4ᵉ étage), composée de bijoux, de
céramiques et de soieries, mais aussi
de pièces ravissantes telles une carafe
égyptienne en cristal de roche datant
de l'an 1000 et une dague indienne
incrustée de rubis vieille de 500 ans.
Aux étages inférieurs, vous pourrez
aussi passer deux heures fructueuses
à admirer des œuvres d'art et des
meubles danois, anglais et français
des XVIIIᵉ et XIXᵉ siècles. Toutes les
collections ont été léguées au musée
par l'avocat Christian Ludvig David,
décédé en 1960, et sont aujourd'hui
gérées par sa fondation. Le musée
occupe son ancienne demeure, un
bâtiment néoclassique de 1806.

⦿ DEN HIRSCHSPRUNGSKE SAMLING

☎ 35 42 03 36 ; www.hirschsprung.dk ;
Stockholmsgade 20 ; tarif adulte/réduit
50/40 DKK, enfant gratuit jeu-lun, mer

COPENHAGUE PAR LES JARDINS

Ce quartier n'est pas forcément le plus pittoresque pour les promeneurs. Nørre Voldgade et Øster Voldgade sont de grandes artères à la circulation dense, mais on peut aisément les contourner et traverser la quasi-totalité du secteur par les beaux jardins d'Ørsteds Parken, le Botanisk Have (Jardins botaniques) et l'Østre Anlæg, parc paysager situé derrière le Statens Museum for Kunst. En été, la foule afflue dans ces parcs pour pique-niquer, bouquiner au soleil ou, dans le cas de l'Ørsteds Parken, se retrouver entre gays. Le plus apprécié de tous reste probablement le Kongens Have (parc des Rois), au sud du Rosenborg, avec ses beaux parterres de fleurs, son théâtre de marionnettes et son café.

Journée ensoleillée au Kongens Have

gratuit ; ⊙ 11h-16h mer-lun ; 🚌 6A, 14, 40, 42, 43 ; ♿

La collection d'art danois réunie par le magnat du tabac Heinrich Hirschsprung dispute au Davids Samling le titre de musée le plus sous-estimé de Copenhague. Consacrée pour l'essentiel à la première moitié du XIXᵉ siècle, elle compte en effet certains des tableaux les plus précieux de l'"âge d'or" de la peinture danoise (voir p. 166). Le musée expose des œuvres puissantes et émouvantes des écoles Funen et Skågen – signées Christen Købke, C.W. Eckersberg et P.S. Krøyer notamment – célèbres pour leurs paysages lancinants et leurs portraits de Danois ordinaires.

🟢 KONGENS HAVE

Ⓜ Nørreport 🚆 S-tog Nørreport
🚌 6A, 184, 185, 350S ; ♿

Le plus ancien parc de Copenhague a été créé au début du XVIIᵉ siècle par Christian IV, qui en fit son potager. Il a beaucoup changé depuis et compte de charmants parterres de fleurs, une excellente aire de jeux et un théâtre de marionnettes gratuit pendant les vacances d'été (spectacles à 14h et 15h, du mardi au dimanche).

ROSENBORG SLOT
☎ 33 15 32 86 ; www.rosenborgslot.dk ; Øster Voldgade 4A ; adulte/enfant 75 DKK/gratuit, billet combiné avec l'Amalienborg Slot 100 DKK ; ⏱ variables ; Ⓜ Nørreport 🚊 S-tog Nørreport 🚌 6A, 11, 184, 185, 150S, 350S
Ce fabuleux palais Renaissance a été construit au début des années 1600. Ses salles historiques, dont certaines sont de vraies merveilles, regorgent d'objets et d'œuvres tirées de la collection royale. Les joyaux de la Couronne sont présentés au sous-sol. Les carpes des douves descendraient de la lignée de poissons introduits par Christian IV. Voir aussi p. 15. Horaires sur le site Internet.

STATENS MUSEUM FOR KUNST
☎ 33 74 84 84 ; www.smk.dk ; Sølvgade 48 ; entrée libre ; ⏱ 10h-17h mar et jeu-dim, mer 10h-20h ; Ⓜ Nørreport 🚊 S-tog Nørreport 🚌 6A, 26, 150S, 173E, 184, 185 ; ♿
L'impressionnante Galerie nationale (voir p. 22).

🛍 SHOPPING
Le quartier n'est pas incontournable, même si Nansensgade regroupe quelques bonnes boutiques de créateurs où dénicher des vêtements originaux, des accessoires de décoration rétro,

Les arts visuels danois connaîtraient-ils un nouvel âge d'or ? À vous d'en juger au Statens Museum for Kunst

VIVRE COMME LES DANOIS

Pour vous fondre dans la société danoise, suivez ce programme :
> Jetez votre cravate (pour les hommes)
> Enlevez votre soutien-gorge (les femmes)
> Montez sur un vélo (tout le monde)
> Oubliez votre sandwich et mangez des *smørrebrød* au déjeuner (voir p. 17)
> Attendez que le feu piéton passe au vert avant de traverser
> Moquez-vous des Suédois
> Ne servez jamais du saumon avec du pain complet
> Achetez de coûteux abat-jour
> Ne faites pas la queue pour monter dans le bus : c'est chacun pour soi !

des cadeaux et des objets de collection. Dans Frederiksborggade, plusieurs magasins de loisirs en plein air (Spejder Sports au n°32 ; Fjeld & Fritid au n°28) séduiront les amateurs d'escalade, de randonnée et de camping.

🏠 FRK. LILLA *Mode*
☎ 24 78 01 85 ; www.frklilla.dk ; Frederiksborggade 41 ; ⏱ 11h-18h lun-ven, 11h-15h sam ; Ⓜ Nørreport Ⓡ S-tog Nørreport 🚌 5A, 350S
Un magasin de vêtements d'occasion haut de gamme réputé pour ses marques griffées. On y trouve toutes sortes d'articles – robes de soirée Malene Birger, talons hauts Miu Miu et lunettes Marc Jabobs –, souvent à moitié prix et assez récents.

🏠 KENDT *Mode*
☎ 20 96 29 02 ; www.kendt.nu ; Nansensgade 42 ; ⏱ 12h-18h jeu-ven,

10h-14h sam ; Ⓜ Nørreport Ⓡ S-tog Nørreport 🚌 5A, 11, 14, 40, 42, 43, 350S
Le créateur Kendt séduit véritablement toutes les femmes, qu'elles soient fans de mode ou riches héritières. Ses robes de cocktail sont féminines, légères et chatoyantes (mousseline et soie sont parmi ses matières favorites), mais il propose également des tenues plus décontractées. Prenez-garde à vos finances, mesdames…

🏠 LAST BAG *Sacs*
☎ 32 11 73 90 ; http://pietbreinholm. dk ; Nansensgade 48 ; ⏱ 10h-19h ven, et sur rendez-vous ; 🚌 5A, 11, 14, 40, 42, 43, 350S
Cette boutique vend le même modèle de cartable en cuir – en différentes tailles et couleurs (rouge, noir, blanc, brun clair et marron) – depuis 1954. Une bonne adresse si vous aimez les styles intemporels.

🍴 SE RESTAURER

🍴 AAMANNS TAKEAWAY

Danois   €

☎ 35 55 33 44 ; Øster Farimagsgade 10 ;
🕐 smørrebrød 10h-16h, dîner 17h-20h ;
🚌 14, 40

Chez Aamanns, les tartines sont
toujours fraîches, de saison et
contemporaines. Succulent
smørrebrød de bœuf tartare, nappé
d'une émulsion à base d'œuf,
d'estragon, de cornichons, de
câpres, d'oignons et de mini-chips.
À déguster sur place ou dans le
parc.

🍴 KALASET *Bar-restaurant*   €

☎ 33 33 00 35 ; www.kalaset.dk ;
Vendersgade 16 ; 🕐 11h-0h lun-jeu,
10-2h ven-sam, 10h-23h dim ; 🚌 5A, 11,
14, 40, 42, 43, 350S

Aménagé dans un caveau à l'angle
de Nansensgade et Vendersgade,
il séduit la jeunesse locale par
son atmosphère à la fois chic et
grunge.

🍴 ORANGERIET *Danois*   €€€

☎ 33 11 13 07 ; Kronprinsessegade 13 ;
🕐 11h30-15h et 18h-22h mar-sam,
11h30-15h dim ; 🚌 11, 26, 350S

Installé dans le cadre enchanteur
d'une ancienne orangerie
de Kongens Have (p. 119), ce
restaurant est l'un des plus récents
de Copenhague. À sa tête, le chef
primé Jasper Kure concocte des

UNE QUESTION DE POLITESSE

En danois, il n'existe pas d'équivalent
exact pour l'expression "s'il vous plaît".
La politesse est alors indiquée par le ton
de la voix et/ou par l'ajout, en début de
phrase, de termes comme *Må jeg…* ou
Kunne jeg… ("Puis-je…").

créations scandinaves modernes
centrées sur la simplicité des
saveurs et l'emploi de produits
de saison de première qualité.
Impossible de ne pas admirer le
génie qui s'exprime dans ses plats.
Le personnel expérimenté, la
terrasse d'été et les menus à prix
intéressants (335 DKK pour trois
plats) en font une excellente table
de catégorie moyenne, idéale pour
les gourmets romantiques.

🍴 STICKS 'N' SUSHI

Japonais   €€

☎ 33 16 14 07 ; www.sushi.dk ;
Nansensgade 47 ; 🕐 11h30-21h30
lun-mer, 11h30-22h jeu-sam ; 14h-21h30
dim; 🚌 5A, 14, 40, 42, 43, 350S ; ♿

Premier restaurant de sushis
ouvert à Copenhague, c'est la
table japonaise contemporaine la
plus élégante de la capitale, avec
de succulents tartare de thon et
carpaccio d'*hamachi*. La chaîne a
ouvert d'autres enseignes dans
plusieurs quartiers, dont Vesterbro
(liste complète sur Internet).

⭐ **Rune RK**
DJ, producteur de musique et auteur du tube "Calabria"

Calabria est inspiré de… Une soirée que j'ai donnée en Calabre. Mes disques avaient été volés et les organisateurs ne voulaient pas payer. **Les meilleurs festivals de musique électronique à Copenhague…** Raw (www.rawcph.com) et le délirant Distortion (p. 26), avec des concerts (un peu de pop et beaucoup d'electronica underground) dans les rues. Strøm (www.stromcph.dk) convient mieux aux familles. **La musique électronique danoise…** Elle a explosé avec des talents comme Lulu Rouge, Noir, Lasbas et Kjeld Tolstrup. Andres Trentemøller a beaucoup influencé le style danois, mélancolique mais "dansable". **Pour découvrir la scène musicale copenhaguoise…** Voir le site www.hifly.dk. Culture Box (p. 125) est une bonne adresse pour l'electronica. Simons (p. 91) est la nouvelle salle branchée. Plus commercial, Rust (p. 115) reste divertissant, et le Zoo Bar (p. 69) est parfait avant une sortie en discothèque le week-end. Pour le jazz, La Fontaine (p. 71) est incontournable.

PRENDRE UN VERRE

BANKERÅT *Bar*

☎ 33 93 69 88 ; www.bankeraat.dk ;
Ahlefeldtsgade 27-29 ; ⊗ 9h30-0h
lun-ven, 10h30-0h sam-dim ; 🚌 11, 14,
40, 42, 43

Ce café-bar culte et plein de
caractère est apparu sur la scène
nocturne de Nansensgade bien
avant que le quartier ne devienne
branché. Admirez les étranges
animaux empaillés de l'artiste
copenhaguois Phillip Jensen.

BIBENDUM *Bar à vin*

☎ 33 33 07 74 ; www.vincafeen.dk ;
Nansensgade 45 ; ⊗ 16h-0h lun-sam ;
Ⓜ Nørreport 🚈 S-tog Nørreport 🚌 11,
14, 40, 42, 43

Le meilleur bar à vin de la capitale
occupe un caveau rustique et
confortable dans l'artère branchée
de Nansensgade. Il propose plus
de 30 vins au verre – australiens,

Le cadre exceptionnel du Bankeråt, bar culte de Nørreport.

néo-zélandais, espagnols, français, italiens et autrichiens. L'atmosphère, intimiste et décontractée, n'est pas troublée par une clientèle snobinarde.

ⓨ OLD MATE *Café*

☎ 50 45 47 23 ; Nansensgade 26 ;
🕐 8h30-18h mar-ven, 12h-18h sam ;
Ⓜ Nørreport 🚊 S-tog Nørreport
🚌 5A, 14, 40, 42, 43, 66, 350S

Excellent café, clientèle jeune et branchée et distractions du type dominos garantissent une ambiance décontractée. Céréales à grignoter et accès Wi-Fi gratuit.

⭐ SORTIR

⭐ CULTURE BOX *Discothèque*

☎ 33 32 50 50 ; www.culture-box.com ; Kronprinsessegade 54 ; discothèque 70 DKK ; 🕐 bar 20h-tard ven-sam, discothèque généralement 0h-6h ven-sam ; 🚌 11, 26

Pour danser jusqu'au bout de la nuit, ne manquez pas cette discothèque emblématique de Copenhague. Installée sur deux étages, Culture Box a délaissé la musique commerciale pour un large éventail de styles innovants et non conventionnels : électro, techno et house mais aussi drum'n'bass, dubstep et jazz électronique. En plus des DJ locaux, elle accueille de grands noms étrangers –Tobias Thomas de Cologne et Billy Dalessandro de Chicago s'y sont produits. À côté, **Cocktail Box**, est idéal pour commencer la soirée.

⭐ FILMHUSETS CINEMATEK *Cinéma*

☎ 33 74 34 12, restaurant 33 74 34 17 ; www.dfi.dk ; Gothersgade 55 ; 🕐 9h30-22h mar-ven, 12h-22h sam-dim, fermé juil ; 🚌 11, 350S ; ♿

Le centre cinématographique d'avant-garde de l'Institut national du cinéma programme des classiques danois et étrangers, généralement lors de courtes saisons à thème. Il abrite une excellente **librairie du cinéma** (🕐 12h-18h mar-dim, fermé juil), ainsi que le restaurant huppé **Sult**.

>VESTERBRO ET FREDERIKSBERG

À l'ouest de la gare centrale, Vesterbro était autrefois un quartier ouvrier connu pour ses bouchers et ses prostituées. À la fin des années 1990, sa proximité avec le centre-ville attire une population bohème, puis des jeunes cadres. L'immobilier grimpe alors en flèche. Aujourd'hui, certains des meilleurs restaurants, cafés, boutiques et établissements nocturnes de Copenhague y sont installés.

Frederiksberg, secteur cossu et verdoyant, débute un peu plus à l'ouest, au niveau de la Frederiksberg Allé. Bordée d'immeubles fin XIXe siècle, cette large avenue arborée est l'un des coins les plus recherchés de la capitale. Elle se termine au Frederiksberg Have (p. 128). Agrémenté d'un lac où canoter et de pelouses ondulantes, ce parc romantique est dominé par le Frederiksborg Slot et le zoo de Copenhague (p. 129). Un peu plus au sud, à Valby, la célébrissime brasserie Carlsberg (p. 128) comporte un musée et un centre des visiteurs gratuits.

VESTERBRO ET FREDERIKSBERG

👁 VOIR
Carlsberg Visitors Centre **1** B4
Frederiksberg Have **2** A3
Københavns Bymuseet ..**3** D3
Ny Carlsberg Vej 68 ...... **4** C4
V1 Gallery **5** E4
Zoologisk Have **6** A3

🛍 SHOPPING
Designer Zoo **7** C3

🍴 SE RESTAURER
Apropos **8** E3
Bio Mio ....(voir 16)

Cofoco **9** E3
Dyrehaven **10** D4
Famo **11** D3
Granola **12** D3
Kødbyens Fiskebar **13** E4
Les Trois Cochons **14** D2
Mielcke & Hurtigkarl ... **15** B2
Paté Paté **16** E3
Siciliansk Is **17** D3

🍸 PRENDRE UN VERRE
Bakken **18** E4
Bang og Jensen **19** D4
Falernum ....(voir 14)

Kaffe & Vinyl **20** D3
Karriere **21** E4
Ricco's Coffee Bar **22** E3
Salon 39 .... **23** D2

⭐ SORTIR
Dansescenen **24** B4
DGI-Byen **25** E3
Forum **26** D1
Imax Tycho Brahe
   Planetarium **27** E2
Jolene Bar **28** E4
Vega **29** C4

VOIR

CENTRE DES VISITEURS CARLSBERG

33 27 12 82 ; www.visitcarlsberg.dk ; Gamle Carlsberg Vej 11, Valby ; adulte/moins de 12 ans/12-17 ans 65/gratuit/50 DKK ; 10h-17h mar-dim toute l'année, jusqu'à 19h30 jeu mai-août ; 18, 26 ;

Carlsberg est l'une des plus grandes brasseries au monde, fondée en 1801 par Christian Jacobsen. En 1847, son fils, Jacob, l'implante à la frontière entre Valby et Frederiksberg et la renomme d'après son fils Carl (Carlsberg signifie "montagne de Carl"). Bientôt, l'entreprise produit plus d'un million de bouteilles par an et donne des sommes colossales aux musées et fondations du Danemark. Récemment rénové, le centre des visiteurs offre un aperçu divertissant du procédé de fabrication de la bière et de l'histoire du succès mondial de Carlsberg (dégustation comprise à la fin de la visite).

Au centre des visiteurs Carlsberg

FREDERIKSBERG HAVE

Entrée principale Frederiksberg Runddel ; 18, 26 ;

Le parc le plus romantique de Copenhague, avec des lacs, des bois et des pelouses où pique-niquer. Il est dominé par le Frederiksborg Slot, un ancien palais royal désormais occupé par l'Académie militaire royale danoise (généralement fermé au public).

KØBENHAVNS BYMUSEET

33 21 07 72 ; www.copenhagen.dk ; Vesterbrogade 59, Vesterbro ; adulte/tarif réduit/enfant 20/10 DKK/gratuit ; 10h-17h, ven gratuit ; 6A, 26

Installé dans un palais du XVIIIe siècle, le musée de la Ville décrit, de manière un peu démodée, la vie à Copenhague au temps jadis.

PROMENADE URBAINE

L'Istedgade est l'une des rues les plus intéressantes et les plus surprenantes de Copenhague. Côté gare centrale s'étale l'industrie du sexe, tristement célèbre, avec ses vitrines à faire rougir un Hollandais. Ici, on croise encore des junkies et des prostituées. Mais un peu plus loin, on découvre les innombrables boutiques, cafés et bars originaux qui, ces dernières années, ont transformé Vesterbro en quartier branché. Faites un détour, à gauche, par Kødbyen, le "Meatpacking District" ("quartier des bouchers") ultratendance. On y trouve les excellents restaurants **Paté Paté** (p. 133) et **Kødbyens Fiskebar** (p. 132), le bar **Karriere** (p. 134), et l'avant-gardiste **V1 Gallery** (ci-dessous).

NY CARLSBERG VEJ 68

www.nycarlsbergvej68.dk ; Ny Carlsberg Vej 68 ; 12h-17h mar-ven, jusqu'à 15h sam pendant les expositions ; 6A, 10,

À la périphérie de Versterbro, ce garage Carlsberg désaffecté abrite quatre fantastiques galeries d'art. La meilleure, la **Galleri Nicolai Wallner**, est un acteur majeur de la scène artistique danoise contemporaine (représentant notamment Jeppe Hein et le duo scandinave Michael Elmgreen-Ingar Dragset, basé à Berlin). **Nils Stærk**, la galerie voisine, est tout aussi reconnue. Enfin, la nouvelle **IMO** propose de l'art avant-gardiste et des événements culturels variés comme des projections de films anciens et des spectacles. À côté, le **BKS Garage** offre un espace d'exposition aux étudiants de l'Académie royale des beaux-arts.

V1 GALLERY

33 31 03 21 ; www.v1gallery.com ; Flæsketorvet 69-71, Vesterbro ; 12h-18h mer-ven, jusqu'à 16h sam ; 10

Cette galerie d'art progressiste présente des œuvres récentes d'artistes locaux et étrangers émergents ou établis. Elle a notamment exposé plusieurs vedettes de l'art de rue et du graffiti, comme le Britannique Banksy ou les Américains Todd James et Lydia Fong (alias Barry McGee).

ZOOLOGISK HAVE

72 20 02 00 ; www.zoo.dk ; Roskildevej 32, Frederiksberg ; adulte/enfant 120/60 DKK ; 9h-16h lun-ven, jusqu'à 17h sam et dim mars, jusqu'à 17h lun-ven, jusqu'à 18h sam et dim avr et mai, jusqu'à 21h30 juil et août, jusqu'à 17h lun-ven, jusqu'à 18h sam et dim sept, jusqu'à 17h oct, jusqu'à 16h nov-fév ; 6A ;

Le pavillon des girafes est la grande attraction du superbe zoo de Copenhague, et celui des éléphants ultramoderne de l'architecte britannique Sir Norman Foster a été inauguré en 2007.

Chocolat chaud et croissant au Granola (p. 132)

🛍 SHOPPING

Hormis l'industrie pornographique et un nombre improbable de coiffeurs pour hommes bon marché, l'Istedgade compte certaines des boutiques de mode les plus intéressantes de la ville.

🏠 DESIGNER ZOO
Articles pour la maison
☎ 33 24 94 93 ; www.dzoo.dk ; Vesterbrogade 137, Vesterbro ; 🕙 10h-17h30 lun-jeu, jusqu'à 19h ven, jusqu'à 15h sam ; 🚌 6A
À l'extrémité moins chic de la Vesterbrogade, le fameux design danois est à l'honneur dans cet excellent complexe de mode et de

décoration d'intérieur. Créateurs de mode et de mobilier, artistes céramistes et souffleurs de verre travaillent et vendent leurs séries limitées très recherchées.

🍴 SE RESTAURER

🍴 APROPOS *International* €€€
☎ 33 23 12 21 ; www.cafeapropos.dk ; Halmtorvet 12, Vesterbro ; 🕙 10h-0h lun-jeu et dim, jusqu'à 1h ven et sam ; 🚉 S-tog gare centrale 🚌 10 ; 🦽
Sur une place réhabilitée, cette adresse appréciée propose des plats variés dont des sandwiches de homard, du saumon tandoori et du gâteau au fromage new-yorkais. Grande terrasse en été.

🍴 BIO MIO *International* €€
☎ 33 31 20 00 ; www.biomio.dk ; Halmtorvet 19 ; 🕙 17h-22h lun-mer, 12h-22h jeu-dim ; 🚌 10
Dans une ancienne boutique Bosch (voir l'enseigne lumineuse), c'est l'un des deux seuls restaurants 100% bio du Danemark.

🍴 COFOCO *Français* €€
☎ 33 13 60 60 ; www.cofoco.dk ; Abel Cathrines Gade 7, Vesterbro ; 🕙 17h30-21h30 lun-sam ; 🚌 6A, 10, 26
Pour seulement 250 DKK, le Copenhagen Food Consulting propose un excellent menu à quatre plats composé de délices telles que le filet de porc aux

joues de porc, panais et abricots ou le veau braisé au vin rouge, céleri et champignons sauvages. C'est aussi un établissement convivial où les clients mangent à une gigantesque table en bois, sous des lustres étincelants. Mêmes propriétaires que Les Trois Cochons (p. 132) et l'Auberge, à Østerbro.

🍴 DYREHAVEN *Café/bar* €
www.dyrehavenkbh.dk ; Sønder Blvd 72, Vesterbro ; ⏱ 9h-0h lun-mer, 9h-2h jeu et ven, 10h-2h sam, 10h-18h dim ; 🚌 10
Ancien bar ouvrier (dont subsistent les box en vinyle), le Dyrehaven attire aujourd'hui une clientèle jeune et bohème. Boissons bon marché, plats simples et savoureux (tartine "Kartoffelmad" aux pommes de terre, œufs, mayonnaise maison et échalotes grillées) et ambiance de franche camaraderie.

🍴 FAMO *Italien* €€
☎ 33 23 22 50 ; Saxogade 3, Vesterbro ; ⏱ 18h-22h ; 🚌 6A, 26
Un restaurant italien authentique, rempli de fins gourmets dégustant le menu du jour. Exemples de plats : risotto aux champignons sauvages, purée de courge, pâtes fraîches maison et sauce tomate goûteuse.

MÉRITE LE DÉTOUR

L'**Arken** (☎ 43 54 02 22 ; www.arken.dk ; Skovvej 100, Ishøj ; adulte/enfant/tarif réduit 85/gratuit/70 DKK ; ⏱ 10h-17h mar et jeu-dim, jusqu'à 21h mer) a été construit pour marquer le statut de Capitale européenne de la culture de Copenhague en 1996. Ce musée d'art contemporain est aussi réputé pour le bâtiment qu'il occupe (en forme de bateau, pour sa situation au bord d'Ishøj Strand) que pour les œuvres internationales qu'il contient. Après quelques années difficiles, il rebondit avec l'ouverture d'une nouvelle aile en 2008. Sa collection permanente d'œuvres post-1990 comprend des pièces étonnantes de grands artistes danois, comme Jeppe Hein, Peter Holst et Jacob Kirkegaard. Récemment, il a acquis *Your Negotiable Panorama*, une installation ambitieuse d'Olafur Eliasson qui fait danser des vagues lumineuses au gré des mouvements des visiteurs. Tout aussi passionnant, le programme des expositions temporaires alterne entre photographie, art et sculpture. Le musée possède une librairie et un merveilleux café accroché, tel un canot de sauvetage, au flanc du bâtiment (vue splendide sur la baie de Køge). L'endroit est idéal pour les enfants, qui peuvent se défouler sur les vastes étendues de sable après avoir réfléchi au sens de la gigantesque sculpture florale de Jeff Koon. L'Ishøj Strand est à 25 minutes au sud de Copenhague. Pour rejoindre l'Arken en voiture, quittez l'autoroute E20 à la sortie 26 et suivez les panneaux Ishøj Strand. Des trains S-tog (ligne A ou E) partent de la gare centrale de Copenhague deux fois par heure. À la gare d'Ishøj, le bus 128 relie directement le musée.

À TABLE AVEC DES DANOIS

Seul ou à plusieurs, **Dine with the Danes** (www.dinewiththedanes.dk) est une excellente façon de rencontrer des Danois. Lancé dans les années 1970 par l'office du tourisme et repris sous une forme privée en 1998, le concept est de proposer des dîners chez l'habitant (certains des premiers hôtes restent très actifs). Chaque repas (adulte/ moins de 8 ans/8-15 ans 400/gratuit/200 DKK) comprend deux ou trois plats, un café et des pâtisseries. Remplissez le formulaire en ligne environ une semaine à l'avance et le groupe fera de son mieux pour vous trouver un hôte approprié (la liste compte aussi des familles gays). Une façon on ne peut plus authentique de découvrir le Danemark et la culture danoise.

GRANOLA Café €

☎ 40 82 41 20 ; Værndemsvej 5, Vesterbro ; ⏱ 7h-18h lun-jeu, jusqu'à 19h ven, 9h-17h sam, jusqu'à 16h dim ; 🚌 6A, 14, 15, 26

Décor riche en atmosphère associant lampes industrielles, meubles d'apothicaire et belles tables. Prépare des salades fraîches, des milk-shakes et des jus divins. Avis aux gourmands : goûtez les muffins glacés ou les délicieuses glaces en provenance d'une petite laiterie du Jutland.

KØDBYENS FISKEBAR
Fruits de mer €€€

☎ 32 15 56 56 ; www.fiskebaren.dk ; Flæsketorvet 100, Vesterbro ; ⏱ 18h-0h mar-jeu, jusqu'à 3h ven et sam ; 🚌 10

Dans le quartier des bouchers, une maison étoilée au Michelin au décor post-industriel (sol en béton, murs carrelés et aquarium de 1 000 litres). Il propose des plats de fruits de mer simples, frais et de saison (moules

du Limfjord au cidre et aux herbes) et, généralement, une viande et un mets végétarien. Parmi les délicieux desserts, citons la glace à la réglisse, à l'argousier et au chocolat blanc. La cuisine ferme à 23h.

LES TROIS COCHONS
Français €€

☎ 33 31 70 55 ; www.cofoco.dk ; Værndemsvej 10, Vesterbro ; ⏱ 12h-14h30 et 17h30-22h lun-sam, 17h30-21h dim ; 🚌 6A, 14, 15, 26

Petit mais chic, ce bistrot français moderne installé dans la rue des restaurants se remplit chaque soir d'une clientèle mélangée. Son menu du soir (entrée, plat, dessert) à 275 DKK est d'un rapport qualité/ prix imbattable.

MIELCKE & HURTIGKARL
Européen moderne €€€

☎ 38 34 84 36 ; www.mielcke-hurtigkarl.dk ; Frederiksberg Runddel 1, Frederiksberg ; ⏱ déj et dîner mer-dim

avr-sept, dîner jeu-sam oct-mars, fermé mi-déc à mi-jan ; 🚌 **14, 15 18, 26**
Pour une sortie en amoureux (ou juste pour le plaisir des papilles), réservez dans ce charmant établissement. Installé dans une ancienne résidence royale d'été du Frederiksberg Have (p. 128), il séduit par son ambiance sonore forestière, son éclairage et ses décorations murales. Le menu du déjeuner est plus simple et plus abordable. Mais c'est le menu du dîner qui a la cote, grâce à la cuisine inventive de Jakob Mielcke à base d'ingrédients locaux et internationaux (gelée de homard norvégien à la glace de prune salée).

🍴 PATÉ PATÉ
Européen moderne €€€
☎ **39 69 55 57 ; www.patepate.dk ; Slagterboderne 1, Vesterbro ;** 🕐 **8h-0h dim-mer, jusqu'à 1h jeu, jusqu'à 3h ven et sam ;** 🚌 **10**
Dans une ancienne fabrique de pâté, un restaurant-bar à vin animé décoré de machines industrielles d'origine et de détails vintage chaleureux. Il prépare des classiques de la cuisine européenne revisités : poussin et *crostini* au foie, cerises au sirop et truffes d'été, ou tarte fine aux pommes de terre, *taleggio* et romarin. Branché mais convivial, avec un personnel serviable et une

carte des vins intéressante. Proche du Bakken (ci-dessous), du Karriere (p. 134) et du Jolene (p. 135), trois établissements nocturnes appréciés. La cuisine ferme à 23h. Réservation recommandée. Mêmes propriétaires que le Falernum (p. 134) et le Bibendum (p. 124).

🍴 SICILIANSK IS *Glacier* €
☎ **30 22 30 89 ; www.siciliansk is. dk ; Skydebanegade 3, Vesterbro ;** 🕐 **12h-21h mai-août, 13h-18h avr et sept ;** 🚌 **10**
Formés en Sicile, les maîtres glaciers Michael et David produisent le meilleur *gelato* de Copenhague. Optez pour des parfums doux de saison comme le *koldskål* (version glacée du dessert danois au citron et petit-lait).

🍸 PRENDRE UN VERRE

🍸 BAKKEN *Bar*
Flæsketorvet 19-21, Vesterbro ; 🕐 **21h-4h jeu-sam ;** 🚌 **10**
Un bar intime du "quartier des bouchers". Boissons abordables et DJ mixant disco et rock attirent une clientèle branchée mais sans prétentions.

🍸 BANG OG JENSEN *Café/bar*
🕐 **33 25 53 18 ; www.bangogjensen.dk ; Istedgade 130, Vesterbro ;** 🕐 **8h-2h lun-ven, 10h-2h sam, 10h-0h dim ;** 🚌 **10**

À l'époque de la réhabilitation de Vesterbro, cet établissement a été parmi les premiers à faire venir de jeunes fêtards dans cette partie alors ignorée de l'Istedgade. Un lieu défraîchi mais agréable, où des canapés moelleux invitent à passer l'après-midi au milieu des clients et des DJ.

FALERNUM *Bar à vin*
☎ 33 22 30 89 ; www.falernum.dk ; **Værnedamsvej 16, Vesterbro ; 🕑 8h-0h lun-jeu, jusqu'à 2h ven, 10h-2h sam, jusqu'à 0h dim ; 🚌 6A, 15, 26**
Un café/bar à vin décontracté avec plancher et chaises usés, étagères garnies de bouteilles et musique apaisante. Propose 40 vins au verre, des bières, du café et des en-cas comme des tapas et du fromage.

KAFFE & VINYL *Café*
☎ 61 70 33 49 ; **Skydebanegade 4, Vesterbro ; 🕑 8h-18h lun-ven, 10h-18h sam, 11h-18h dim ; 🚌 10**
Café à tomber, disques culte et habitués lookés sont les caractéristiques de ce minuscule local. Avalez un café au lait onctueux et dégotez-vous un disque de la Blaxploitation.

KARRIERE *Bar*
☎ 33 21 55 09 ; www.karrierebar.com ; **Flæsketorvet 57-67, Vesterbro ; 🕑 16h-0h jeu, jusqu'à 4h ven et sam ; 🚌 10**

Création de l'artiste Jeppe Hein, ce bar post-industriel est un autre must dans le "quartier des bouchers". Il est l'œuvre de 25 artistes locaux et internationaux : Olafur Eliasson a conçu les lampes, Jeppe Hein le bar qui se déplace de 35 mm toutes les demi-heures. Cuisine très moyenne mais cocktails puissants. Citons le légendaire Mario Mantequilla, à base de beurre de cacahuètes, tequila *corralejo blanco* et sirop d'agave.

RICCO'S COFFEE BAR *Café*
☎ 33 31 04 40 ; www.riccos.dk ; **Istedgade 119, Vesterbro ; 🕑 8h-23h lun-ven, 9h-23h sam et dim ; 🚌 10**
Les habitants branchés de Vesterbro adorent ce minuscule café que beaucoup considèrent comme le meilleur de Copenhague. Il vend aussi 20 variétés de grains et des sirops à emporter.

SALON 39 *Bar à cocktails*
☎ 39 20 80 39 ; www.salon39.dk ; **Vodroffsvej 39, Frederiksberg ; 🕑 16h-23h30 mer et jeu, jusqu'à 1h30 ven et sam ; 🚌 14, 15, 29**
Une adresse méconnue où dominent lustres, dorures et cocktails excellents (le Penicillin n°39 est dangereusement bon). Il propose aussi des plats savoureux comme les calamars à la mayonnaise à l'encre.

⭐ SORTIR

⭐ DANSESCENEN *Danse*

☎ 33 29 10 10, billetterie 33 29 10 29 ;
www.dansescenen.dk ; Pasteursvej 20,
Vesterbro ; 🕑 variable ; 🚌 6A, 18, 26

Dans une usine d'eau minérale
désaffectée, près du Ny Carlsberg
Vej 68 (p. 129), le Dansescenen
reste la première scène de danse
contemporaine de Copenhague.
Plus de 20 productions
internationales chaque année.
Horaires sur le site.

⭐ DGI-BYEN *Sports*

☎ 33 29 80 00 ; www.dgi-byen.dk ;
Tietgensgade 65 ; 🚉 Gare centrale
🚌 1A, 65E ; ♿

Juste au sud de la gare centrale,
surplombant les voies, un excellent
complexe de loisirs et de sport.
Il réunit notamment une grande
piscine couverte, une piste de
bowling, un spa, un restaurant, un
café et un hôtel. Au spa, soins de
beauté, massages divers, bains aux
algues et aux sels, enveloppements
de boue et acupuncture.

⭐ FORUM *Musique live*

☎ 32 47 20 00 ; www.
forumcopenhagen.dk ; Julius
Thomsensplads, Frederiksberg ;
Ⓜ Forum 🚌 2A ; ♿

L'une des plus grandes salles de
concert de la ville. Bob Dylan et
Metallica y sont passés récemment.

⭐ IMAX TYCHO BRAHE PLANETARIUM *Cinéma*

☎ 33 12 12 24 ; www.tycho.dk ; Gammel
Kongevej 10, Vesterbro ; adulte/3-12 ans
130/80 kr ; 🕑 11h30-20h30 lun, 9h30-
20h30 mar-dim ; 🚉 S-tog Vesterport
🚌 14, 15 ; ♿

Nommé d'après le célèbre
astronome danois, cet
impressionnant cinéma Imax
projette sur un écran de 1 000 m^2
des films d'aventure trépidants et
des documentaires sur la nature. Un
dôme ultramoderne présente le ciel
nocturne.

⭐ JOLENE BAR *Bar/discothèque*

www.myspace.com/jolenebar ;
Flæsketorvet 81-85, Vesterbro ; 🕑 17h-
2h dim-jeu, jusqu'à 3h ven et sam ; 🚌 10

Créé par deux Islandaises, ce bar/
discothèque intime est animé
par des DJ talentueux (comme
Trentemøller, dieu danois de la
techno) qui mixent dans une cabine
au décor de cirque.

⭐ VEGA *Discothèque/musique live*

☎ 33 25 70 11 ; www.vega.dk ;
Enghavevej 40, Vesterbro ; 🚌 3A, 10 ; ♿

Le Vega est considéré comme le
père de tous les établissements
nocturnes de Copenhague.
Pourtant, malgré ce statut
vénérable, il reste à l'avant-garde,
attirant les DJ les plus demandés
d'Europe et des stars mondiales

DJ et musiciens de renommée internationale se donnent rendez-vous au Vega

comme Prince, Jamie Cullum et Arctic Monkeys. Le Store Vega accueille les grands concerts. Idéal pour découvrir les talents musicaux montants, le Lilla Vega se transforme en Vega Nightclub and Lounge le week-end. Sur fond de musique "easy listening", l'Ideal Bar permet de se détendre en sirotant un cocktail.

La Turning Torso (p. 141), à Malmö

>MALMÖ

Si vous aimez Copenhague, il y a de fortes chances pour que Malmö (à 30 km), la troisième ville de Suède, vous plaise aussi. Cité universitaire de charme et pleine de vie, elle possède un centre historique entouré de douves, deux grandes places (Stortorget et Gustav Adolfs Torg) et une agréable esplanade pavée appelée Lilla Torg – principale destination des noctambules, elle accueille une patinoire en hiver. Malmö compte aussi plusieurs beaux parcs, un excellent musée d'art, un château du XVe siècle abritant d'autres musées, et une superbe plage équipée de bains froids traditionnels. Ces cinq dernières années, le port ouest de Malmö s'est complètement métamorphosé grâce à l'un des projets immobiliers les plus novateurs d'Europe du Nord, au cœur duquel se dresse la célèbre "tour torsadée" (*Torso*) de l'architecte espagnol Santiago Calatrava.

Jusqu'au milieu du XVIIe siècle, cette partie de la Suède appartenait au Danemark, si bien que Malmö ressemble comme une sœur à la capitale danoise (ce n'est pas l'avis des Suédois). Mais l'atmosphère y est plus décontractée et sa vie nocturne bouillonnante est entretenue par une importante population étudiante. Elle est moins étendue et on peut aisément rallier les principaux sites touristiques. Mais c'est une destination estivale, car dans les mois les plus froids, ses 290 000 habitants donnent l'impression d'hiberner. Si vous venez en été, visitez Malmö la troisième semaine d'août, lorsque son festival attire plus de 1,6 million de visiteurs avec des concerts, des pièces de théâtre et la plus grande fête mondiale de la langouste.

MALMÖ

👁 VOIR
Malmö Konsthall............. **1** C4
Malmöhus Slott.............. **2** A2
Moderna Museet
   Malmo **3** D2

🏠 SHOPPING
Form/Design Center........ **4** C2
Olsson & Gerthel **5** B2
Toffelmakaren................ **6** C2

🍴 SE RESTAURER
Bastard............................ **7** B2
Victors **9** C2
Årstiderna i Kockska
   Huset **10** C2

🍸 PRENDRE UN VERRE
Belle Epoque **11** D5
Solde............................... **12** C3

Tempo Bar & Kök........... **13** D5

⭐ SORTIR
Debaser **14** D5
Kulturbolaget................. **15** D5
Croisières Rundan **16** C2

A
B
C
D

1
Inre Hamnen
Vers les bus longue distance (500 m)
Jörgen Kocksgatan
Quartier des docks
Vintergatan
Carlsgatan
Södra-varvs-bassängen
Poste
Centralstationen (Gare ferroviaire centrale)
Office du tourisme
Pågatågen (Gare ferroviaire locale)
Bus locaux
Centralplan
Hamnkanalen
Östra
Vers l'Hotel Formule 1 (1 km)

Citadellsvägen
Drottning-torget
16
Adelgatan
Göran Olsgatan
Östergatan
Vers la tour Turning Torso (1 km), la plage de Ribersborg (1,5 km), le Ribersborg Kallbadhus (1,5 km) et le pont de l'Öresund (7,5 km)

2
Västra
Hamnkanalen
Norra Vallgatan
Västra
Malmöhusvägen
Västragatan
Stortorget
Rådhuset
Kalendegatan
CENTRUM
Norregatan
Rundelsgatan
Vers le poste de police (200 m)
GAMLA VÄSTER
5
Lilla Torg
6
4
Tegelgårdsgatan
Hjelmerichsgatan
Södergatan
Baltzarsgatan
GAMLA STADEN
3
Stora Nygatan
Slottsgatan
Gustav Adolfs Torg

3
Malmöhusvägen
2
Vers Fridhems Cykelaffär (700 m)
Slotts-trädgården
Kungsparken
MALMÖHUS
Slottsparken
Linneplatsen
King Oscars Väg
Malmö Stadsbibliotek (bibliothèque)
Torggatan
Lilla Nygatan
Södra Promenaden
Rörsjökanalen
Drottninggatan
RÖRSJÖ
Kungsgatan
Amiralsgatan
Föreningsgatan
VÄSTRA SORGENFRI

4
Regementsgatan
DAVIDSHALL
12
Storgatan
Davidhallstorg
Banérgatan
Fersensväg
Davidhallsgatan
Erik Dahlbergsgatan
Holmgatan
LUGNET
S Förstadsgatan
Kasinogatan
Amiralsgatan
Carl Gustafs Väg
Carl Gustafs Väg
Fågelbacksgatan
Östra
Rönneholmsvägen
Triangeln
Vers l'aéroport de Malmö Sturup (31 km)
Spångatan
Mönbijougatan
15
14
Friisgatan

5
Vers la Vandrarhemmet Villa Hilleröd (200 m)
Köpenhamnsvägen
Mariedalsvägen
Kronborgsvägen
Rödängsvägen
Idrottsplats
1
St Johannesgatan
Pildammsvägen
Carl Gustafs Väg
S Förstadsgatan
RÅDMANSVÅNGEN
Bergsgatan
Norra Skolgatan
MÖLLEVÄNGEN
11
Simmishamnsg
Kristianstadsgatan
KRONBORG
Pildammsparken
Pildammarna
Möllevångst torget

6
0   500 m
John Ericssons
Carl Gustafs Väg
Hôpital
Södra Förstadsgatan
Ahlmanng
Sparvsgatan
Nobelgatan
Vers le Bosses Gästvaningar (500 m) et la STF Vandrarhem Malmö (2 km)

VOIR

MALMÖ KONSTHALL

☎ 040 34 12 86 ; www.konsthall.malmo.se ; St Johannesgatan 7 ; entrée libre ; 🕐 11h-17h lun-mar et jeu-dim, 11h-21h mer ; 🚌 8, 2, 5

L'une des plus grandes galeries européennes d'art contemporain accueille des expositions permanentes et temporaires.

MALMÖHUS SLOTT

☎ 040 34 44 00 ; www.malmo.se/museer ; Malmöhusvägen ; adulte/enfant 7-15 ans 40/10 SEK, -7 ans gratuit ; 🕐 10h-16h lun-ven, 12h-16h sam-dim sept-mai, 10h-16h tlj juin-août ; 🚌 3

Érigé au XVe siècle, le château de Malmö abrite un petit Naturmuseet (musée d'Histoire naturelle), le Malmö Konstmuseum (musée d'Art) et le Stadsmuseet (Musée municipal).

Son charmant Kungsparken (parc du Roi) alterne ruisseaux, jardins paysagers et aires de pique-nique.

MODERNA MUSEET MALMÖ

☎ 040 68 57 937 ; www.modernamuseet.se ; Gasverksgatan 22 ; tarif plein/réduit 80/60 SEK, -18 ans gratuit ; 🕐 11h-18h mar et jeu-dim, 11h-21h mer

Le musée d'Art moderne de Malmö occupe une centrale électrique du début du XXe siècle et une audacieuse extension grillagée signée Tham & Videgård Arkitekter. Trois grandes expositions par an (récemment, les vidéos provocatrices de l'Israélien Yael Bartana).

RIBERSBORGS KALLBADHUS

☎ 040 26 03 66 ; www.ribersborgskallbadhus.se ; Ribersborg Stranden ; adulte/

Découvrez l'histoire de Malmö dans les musées du Malmöhus Slott

INDICATIFS TÉLÉPHONIQUES ET MONNAIE

L'indicatif téléphonique international de la Suède est le 46, et celui de Malmö (0) 40. Comptez 1,20 couronne suédoise (SEK) pour une couronne danoise (DKK).

enfant 7-17 ans 55/30 SEK ; ⌚ 9h-20h lun, mar, jeu, ven, 9h-21h mer, 9h-18h sam-dim mai-août, 10h-19h lun, mar, jeu, ven, 10h-20h mer, 9h-16h sam-dim sept-avr ; 🚍 3

Cette jetée accueille un sauna chauffé au bois construit en 1898 (hommes et femmes séparés) ; pour une expérience typiquement scandinave, plongez dans la mer !

⊙ TURNING TORSO

Västra Varvsgatan, port ouest ; 🚍 2
Achevée en novembre 2005, cette tour résidentielle et centre de congrès se dresse à 190 m de hauteur, en plein quartier des docks, à l'ouest de Malmö. Inspiré d'une sculpture personnelle de l'architecte, Santiago Calatrava, l'édifice de 54 étages tourne sur lui-même en s'élevant jusqu'à atteindre un décalage de 90° par rapport au sol. L'effet visuel est saisissant. Le public n'a pas accès au bâtiment, mais il trouvera une galerie d'art et un petit centre commercial.

🛍 SHOPPING

La principale artère commerçante de Malmö est la rue piétonnière Södergatan, qui commence au niveau de Stortorget et traverse tout le centre-ville jusqu'à Gustav Adolfs Torg. De là, les boutiques se succèdent dans Södra Förstadsgatan jusqu'à Triangeln. L'atmosphère est un peu provinciale, mais d'autres quartiers méritent un détour : Gamla Väster, la petite mais charmante vieille ville, à l'ouest de Lilla Torg ; Adelgaten et Östergatan ; et le secteur plus au sud, Möllevångstorget (surnommé Möllan, "le moulin"), qui regroupe de nombreuses épiceries asiatiques. Les magasins sont généralement ouverts de 10h à 18h ou 19h du lundi au vendredi, de 10h à 15h le samedi et, pour certains, de 12h à 16h le dimanche.

⊡ FORM/DESIGN CENTER

Design/décoration
☎ 040 664 51 50 ; www.formdesigncenter. com ; ⌚ 11h-17h mar, mer et ven, 11h-18h jeu, 11h-16h sam, 12h-16h dim
La salle d'exposition de cet ancien entrepôt donnant sur Lilla Torg est consacrée à l'architecture et au design suédois. Il y a un café et une boutique proposant des vêtements, des étoffes et des articles pour la maison.

EXCURSION

⌂ OLSSON & GERTHEL
Décoration

☎ 040 611 7000 ; www.olssongerthel.
se ; Engelbrektsgatan 9 ; ⏱ 11h-18h lun-
ven, 11h-15h sam

L'une des meilleures boutiques de
design et de décoration de Malmö, à
deux enjambées de Lilla Torg : belles
marques européennes, dont les
jolis articles en plastique Robex et
cadeaux Stelton, des luminaires, de
l'argenterie, des radios Tivoli Audio
et des céramiques locales. En face,
Formargruppen (horaires identiques)
est une autre enseigne de design
spécialisée en verrerie, céramique,
art et artisanat.

⌂ TOFFELMAKAREN
Chaussures

☎ 040 23 22 45 ; www.toffelmakaren.
se ; Lilla Torg 9 ; ⏱ 10h-18h lun-ven,
10h-15h sam

Cette petite boutique vend
des sabots faits main de style
traditionnel et moderne, en aulne et
cuir fin. Une bonne idée de cadeau.

🍴 SE RESTAURER

La majorité des bars et des
restaurants se concentre sur la jolie
place pavée de Lilla Torg, où vous
pourrez expérimenter diverses
gastronomies (suédoise, française,
italienne et japonaise). Le
vendredi et samedi soir, l'ambiance
est à la fois chaleureuse, agitée

et très distrayante. La jeunesse
branchée préfère néanmoins les
alentours de Möllevångstorget,
avec ses sympathiques bars à DJ
qui proposent des boissons et des
en-cas à moindre prix.

🍽 BASTARD
Européen moderne   €€€

☎ 040 12 13 18 ; www.
bastardrestaurant.se ; Mäster
Johansgatan 11 ; ⏱ 17h-0h mar-jeu,
17h-2h ven-sam

Un bar en retrait, de charmants
serveurs et une allure de campement
chic distinguent ce restaurant
convivial dont la carte saisonnière
compte trois catégories de plats :
froids, au feu de bois, au four (tourte
à la queue et langue de bœuf aux
chanterelles et fèves). Un vrai régal !

ᵭ VICTORS *Suédois* €€€
☎ 040 12 76 70 ; Lilla Torg 1 ; 11h30-22h30 lun-sam
Cette adresse incontournable de Lilla Torg sert des spécialités suédoises à prix correct et devient un bar à DJ en soirée. Un cadre typiquement suédois, avec des boiseries sombres et un ameublement minimaliste.

ᵭ ÅRSTIDERNA I KOCKSKA HUSET
Franco-suédois classique €€€
☎ 040 230 910 ; www.arstiderna.se ; Frans Suellsgatan 3 ; 11h30-0h lun-ven, 17h-0h sam
Ce restaurant installé dans un ravissant caveau en briques rouges du XVIᵉ siècle est considéré depuis de longues années comme la meilleure table de Malmö. Sa cuisine irréprochable d'inspiration française est à la hauteur de sa réputation. Le service est exemplaire et les vins (essentiellement français et italiens), excellents. Voilà un établissement qui n'a rien à envier à ses concurrents de Copenhague.

ᵭ PRENDRE UN VERRE
En Suède, la réglementation draconienne restreint la vente d'alcool aux magasins d'État, restaurants, bars et hôtels. La vie nocturne se concentre autour

de Lilla Torg, dans les rues qui entourent Möllevångstorget et dans Davidhallstorg, un nouveau secteur riche en bars.

ᵭ BELLE EPOQUE
Bar/restaurant
☎ 040 973 990 ; Södra Skolgatan 43 ; 18h-1h mar-sam
Un nouveau venu à l'élégance rétro qui n'a pas tardé à se faire un nom. Élu meilleur bar par le *Nojesguiden* en 2009, l'établissement figurait déjà dans le *White Guide*, la bible des gastronomes suédois, pour sa cuisine de brasserie d'inspiration française. Ses vins (tous de petits producteurs) comptent de bons crus biologiques et ses bières font la part belle aux brasseurs indépendants (Newcastle Brown Ale, Duvel et Anchor Steam notamment). La carte propose des plats frais de saison, renouvelés chaque semaine, dont un cabillaud à la citronnelle, au céleri, au melon, à la menthe et au parmesan.

ᵭ SOLDE *Café*
☎ 040 692 80 87 ; Regementsgatan 3 ; 7h15-18h30 lun-ven, 9h-16h sam
Le café le plus sympathique de Malmö séduit le monde des médias avec son style brut-branché (bar en béton, murs carrelés et expositions). Le propriétaire, Johan Carlström, est un *barista* réputé qui prépare d'alléchants paninis, *biscotti* (biscuits) et *cornetti* (croissants).

DEPUIS/VERS MALMÖ

> Distance depuis Copenhague : 30 km
> Direction : ouest
> Temps de trajet : 35 minutes

Le meilleur moyen de transport est le train. Départ toutes les 20 minutes de la gare centrale de Copenhague pour Malmö, via l'aéroport de Copenhague, de 5h à 0h, et toutes les heures durant la nuit (www.dsb.dk). En voiture, il faut acquitter un droit de péage assez élevé au pont d'Øresund (375 DKK l'aller). Pour rejoindre le pont, quittez la capitale par le sud, traversez Christianshavn et Amager, et suivez les panneaux pour l'aéroport dans Amagerstrandvej. Juste avant l'aéroport, bifurquez vers l'ouest, en direction de la mer et de Malmö.

☆ TEMPO BAR & KÖK *Bar*

☎ 040 126 021 ; Södra Skolegatan 30 ;
🕙 17h-0h lun-mar, 17h-1h mer-jeu,
16h-1h ven-sam, 16h-23h dim ; 🚌 8, 2, 5

Ce bar-restaurant toujours animé reste apprécié des habitants du quartier. Jadis réputé pour ses soirées DJ, il se consacre désormais à la cuisine, qualifiée de *husmanskost* (cuisine familiale suédoise) "avec un petit plus". Proche de Möllevångstorget, il attire les étudiants et les "artistes".

☆ SORTIR

☆ DEBASER
Concerts/discothèque

☎ 040 239 880 ; www.debaser.se ; Norra Parkgatan 2 ; entrée libre jusqu'à 22h, puis 100 SEK ; 🕙 7h-3h mer-sam, brunch 11h-15h dim

Ce club ouvert il y a plusieurs années par la célèbre discothèque stockholmoise fait le plein avec un joyeux cocktail de concerts rock et de soirées rythmées alternant les genres – indé, pop, hip-hop, soul, electronica et rock. Son bar-lounge, sur une terrasse dominant le Folkets Park, est pris d'assaut. En-cas corrects (bon hamburger au chili) jusqu'à 22h.

☆ KULTURBOLAGET
Discothèque

☎ 040 302 011 ; www.kulturbolaget. se ; Bergsgatan 18 ; horaires et tarifs variables

Principale scène musicale de Malmö, cette salle de concert/ discothèque peut accueillir 750 personnes lorsqu'elle programme des vedettes internationales – Morrissey, Emmylou Harris – et organise des soirées disco très prisées les vendredi et samedi soirs.

☆ RUNDAN CANAL TOURS
Croisières

☎ 040 611 74 88 ; www.rundan.se ; adulte/enfant 120/60 SEK ; 🕙 1 départ/

MÉRITE LE DÉTOUR

Sur la rive danoise de l'Øresund, au nord de Copenhague, se tient le plus majestueux château du Danemark, le **Kronborg Slot** (☎ 49 21 30 78 ; www.kronborg.dk ; adulte/enfant 6-14 ans 75/25 DKK, -6 ans gratuit ; ⌚ 11h-15h mar-dim janv-mars, nov-déc, 11h-16h mar-dim avr et oct, 10h30-17h mai-sept ; 🚆 Helsingør, puis 10 minutes à pied). Plus connu sous le nom de château d'Elseneur, et comme cadre de la tragédie *Hamlet*, l'immense édifice fut érigé à l'entrée de l'Øresund et de la Baltique pour taxer les navires qui faisaient la navette entre les côtes danoise et suédoise, mais aussi pour servir de poste défensif à Copenhague. Le roi Erik de Poméranie introduisit les "taxes du Sund" dans les années 1420 et fit construire une petite forteresse, Krogen, comme poste de péage. Frederik II rebâtit et agrandit l'édifice dans le style Renaissance entre 1574 et 1585, tandis que Christian IV le fit reconstruire une nouvelle fois en 1629, après un incendie. En 1658, les Suédois occupèrent le château et emportèrent ses richesses. L'ensemble servit ensuite de caserne de 1785 à 1922, date de son ouverture au public.

Aujourd'hui, on peut visiter sa magnifique salle de bal (62 m de long) et diverses pièces royales, des bunkers et le Musée maritime national du Danemark. La promenade sur les remparts (accès gratuit) est merveilleuse par une fraîche matinée de printemps. En été, le Kronborg rend hommage à son plus célèbre résident (imaginaire) : Hamlet, l'adolescent tourmenté de William Shakespeare. C'est en 1602 que le dramaturge écrivit sa plus longue pièce, sans doute d'après les témoignages de comédiens anglais qui visitèrent les lieux – rien ne prouve qu'il s'est lui-même rendu sur les lieux, en dépit de certaines descriptions étonnamment précises du château. Chaque été, il programme une représentation de *Hamlet* en plein air. Laurence Olivier, Richard Burton, Kenneth Branagh et Simon Russel Beale y ont tous un jour "joué les Danois".

Depuis Copenhague, l'accès routier le plus rapide jusqu'à Helsingør est l'E47/E55 en direction du nord. La route côtière, Strandvejen (route 152), s'avère néanmoins beaucoup plus pittoresque ; elle serpente entre les somptueuses villas et les petites plages jusqu'au littoral huppé de l'Øresund, au nord de la ville. Les trains DSB depuis/vers Copenhague (55 minutes) circulent environ trois fois par heure de l'aube à minuit. Si vous faites le trajet dans la journée, achetez un "24-timer billet" (billet valable 24 heures, tarif adulte/enfant 130/65 DKK) aux guichets automatiques de la gare.

heure 11h-16h 29 avr-22 juin, 11h-19h 24 juin-27 août, 11h-15h 28 août-17 sept, 12h-14h 18 sept-1er oct, croisière supplémentaire de 75 min à 21h 18 juil-17 août

Ces croisières commentées de 50 minutes sur le canal qui contourne le centre de Malmö démarrent juste en face de la gare centrale. Départ toutes les heures à l'heure pile.

>ZOOM SUR...

Copenhague a énormément à offrir aux visiteurs : une scène culinaire en plein essor, la liberté de se déplacer partout à vélo et l'un des meilleurs festivals de jazz du monde.

> Architecture   148
> Vélo   150
> Enfants   151
> Hygge   152
> Shopping   153
> Musique   154
> Jazz   155
> Saisons copenhaguoises   156
> Copenhague romantique   157
> Cuisine traditionnelle   158
> Nouvelle cuisine   159
> Copenhague gay et lesbien   160

Un musicien de jazz à Nyhavn

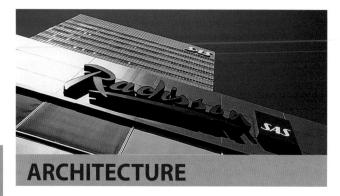

ARCHITECTURE

L'histoire architecturale de Copenhague commence au XIIᵉ siècle lorsqu'Absalon érige sur Slotsholmen une forteresse dont les ruines sont encore visibles sous le château de Christiansborg (p. 72).

Au début du XVIIᵉ siècle, Christian IV, grand bâtisseur, fait construire à grands frais l'édifice ornementé de Børsen (la Bourse ; p. 74), la Rundetårn (p. 11) et le château de Rosenborg (p. 120).

Le baroque est apprécié pour les bâtiments publics à la fin du XVIIᵉ siècle. Deux magnifiques exemples en sont la Vor Frelsers Kirke (p. 56) à Christianshavn, et le Charlottenborg (p. 81), sur la Kongens Nytorv, ancien palais devenu galerie d'art.

Parmi les monuments rococo, on retiendra surtout les quatre bâtiments presque identiques du château d'Amalienborg (p. 80), conçus à la fin du XVIIIᵉ siècle par Nicolai Eigtved. Résidence de la famille royale, l'un d'eux abrite un musée accessible au public.

À la fin du XIXᵉ siècle, l'architecte le plus renommé est Vilhelm Dahlerup, qui emprunte à diverses influences Renaissance européennes. La Ny Carlsberg Glyptotek (p. 42) et l'opulent Kongelige Teater (p. 90) font partie de ses œuvres les plus remarquables.

La Vor Frue Kirke (p. 56), dans le Quartier latin, et le palais de justice Domhuset (p. 51), sur la Nytorv, sont deux splendeurs néoclassiques de cette période.

Né à Copenhague, Arne Jacobsen (1902-1971) a passé la majeure partie de sa vie dans sa ville adorée. Son œuvre la plus connue est le Radisson SAS

Royal Hotel, mais on lui doit aussi le bâtiment de la Dansk National Bank, près du canal de Holmen, et une station-service dans Kystvejen, à Charlottenlund, toujours utilisée. Il fut aussi un designer mondialement connu.

Le principal architecte contemporain est Henning Larsen. Ses réalisations incluent le Dansk Design Center (p. 42), haut de cinq étages, et l'aile des impressionnistes de la Ny Carlsberg Glyptotek. Il a également conçu le nouvel opéra (p. 100), inauguré en janvier 2005. Cet édifice impressionnant comprend un toit en porte-à-faux long de 32 m et six scènes.

Conçue par Schmidt, Hammer and Lassen, la nouvelle aile de la Bibliothèque royale (p. 75) est spectaculaire. Baptisée le "Diamant noir" (Den Sorte Diamant), elle arbore une splendide façade en granite noir et verre fumé. L'espace intérieur est brillamment exploité.

Pour plus d'informations sur l'architecture locale, visitez le Dansk Arkitektur Center, dans le Gammel Dok (p. 95).

LES BÂTIMENTS LES PLUS SPECTACULAIRES
> Le Radisson SAS Royal Hotel, d'Arne Jacobsen (p. 60)
> L'opéra, de Henning Larsen (p. 100)
> Det Kongelige Bibliotek (le Diamant noir ; p. 75), de Schmidt, Hammer et Lassen
> Le Skuespilhuset, nouveau théâtre royal de Copenhague, de Boje Lundegaard et Lene Tranberg (p. 91)
> Le musée d'Art moderne Arken, de Søren Robert Lund (p. 131)

Ci-contre La remarquable tour du Radisson SAS Royal **Ci-dessus** Les angles obliques du musée d'Art moderne Arken

VÉLO

Copenhague est l'une des villes d'Europe les plus adaptées aux cyclistes. Des pistes cyclables séparées longent les principales artères et les emplacements de stationnement sont pléthore. Trois Danois sur quatre possèdent une bicyclette et la moitié l'utilisent régulièrement.

Les visiteurs ne sont pas exclus. D'avril à novembre, 2 000 vélos municipaux sont disponibles gratuitement à 110 stations dans tout le centre-ville. Pour dissuader les voleurs et réduire la maintenance, ils ont une allure distinctive, avec des roues solides sans rayons et des pneus résistant à la crevaison. Glissez une pièce de 20 DKK dans la borne pour retirer un vélo. Vous pourrez ensuite le rendre à n'importe quelle station, où vous récupérerez vos 20 DKK.

Admis gratuitement dans le S-tog, les vélos sont toutefois interdits à la station de Nørreport en semaine de 7h30 à 8h30 et de 15h30 à 17h. Dans le métro, l'interdiction s'applique de 7h à 9h et de 15h30 à 17h30, et un ticket spécial doit être acheté aux distributeurs. Vous devez voyager avec votre vélo dans une voiture marquée du symbole correspondant.

Quelques règles sont à connaître. Les cyclistes cèdent le passage aux personnes qui traversent les pistes à la montée ou à la descente des bus. Sinon, ils ont la priorité sur tous les autres usagers de la route. Les voitures tournant à droite doivent attendre que les cyclistes les aient dépassées par l'intérieur (même si elles ne le font pas toujours). En revanche, les cyclistes ne sont pas autorisés à tourner à gauche aux feux ni aux grands carrefours : ils sont censés mettre pied à terre et traverser avec les piétons avant de se remettre en selle.

La Dansk Cyklist Forbund (fédération cycliste danoise ; www.dcf.dk) propose des plans cyclistes, dont une carte au 1/100 000 du Sjælland (couvrant le grand Copenhague), en vente dans les librairies. Voir aussi p. 176.

ENFANTS

Si la seule pensée d'un séjour citadin avec de jeunes enfants vous donne la migraine, Copenhague a la solution. Partout où vous allez, la ville semble équipée pour accueillir les bambins. La plupart des restaurants disposent de chaises hautes et beaucoup offrent un menu enfant. Les principaux musées proposent des poussettes ; dans les transports, même les landaus les plus encombrants trouvent de la place (les Danois affectionnent particulièrement les grands modèles à l'ancienne) ; et tous les parcs contiennent de magnifiques aires de jeux. Nombre de musées prévoient une section pour enfants, les théâtres et les salles de concert programment souvent des représentations pour les plus jeunes, et plusieurs sites et attractions, comme le remarquable Experimentarium (p. 104), leur sont spécifiquement destinés.

En tête de cette longue liste figure Tivoli (p. 44), certainement l'un des parcs d'attractions les plus divertissants au monde. Montagnes russes vertigineuses, galeries de tir, carrousels tranquilles et manèges tournoyants : il y en a pour tous les âges. Une visite peut s'avérer coûteuse, mais les manifestations gratuites ne manquent pas. Citons la célèbre Commedia dell'Arte historique, les feux d'artifice (pour les enfants capables de tenir jusqu'à minuit) et le superbe son et lumière nocturne. À voir également : le festival de cinéma pour enfants Buster (www.buster.dk), qui investit les salles obscures à la mi-septembre.

LES MEILLEURS SITES POUR LES ENFANTS
> Tivoli (p. 44)
> Zoologisk Have (p. 129)
> Rundetårn (p. 11)
> Kongens Have (p. 119)
> Bakken (p. 107)

LES MEILLEURS SITES QUAND IL PLEUT
> DGI-Byen (p. 135)
> Imax Tycho Brahe Planetarium (p. 135)
> Zoologisk Museum (p. 105)
> Experimentarium (p. 104)
> Nationalmuseet (p. 42)

HYGGE

Certes, il est un peu inhabituel pour un guide de consacrer une page entière à une sensation. Néanmoins, dans le cas du *hygge* danois, cela nous paraît incontournable. Qu'entend-on par *hygge* ? On pourrait le traduire par "agréable", mais le mot signifie bien plus que cela. En fait, il désigne un sentiment chaleureux qui peut naître quand des Danois se retrouvent à deux ou à plusieurs (mais on peut aussi le ressentir tout seul). Les participants ne sont pas nécessairement amis (ils peuvent avoir fait connaissance juste avant), mais si la conversation va bon train – évitant des sujets délicats comme la politique ou la meilleure méthode de fabrication du hareng mariné – que la convivialité s'installe et que l'on trinque devant un feu de cheminée (ou, du moins, devant quelques bougies), c'est que le *hygge* n'est pas loin. Les restaurants, cafés et bars de Copenhague font de leur mieux pour créer une ambiance *hyggelige*, grâce à des feux de cheminée, des bougies allumées à toute heure et en toute saison et, bien sûr, un flot continu d'alcool. Ci-dessous, une liste des meilleures adresses où faire l'expérience du fameux *hygge*.

LES MEILLEURS CAFÉS HYGGE
> Bastionen og Løven (p. 98)
> Dyrehaven (p. 131)
> La Glace (p. 66)
> Tea Time (p. 113 ; photo ci-contre)
> Café Wilder (p. 98)

LES MEILLEURS BARS HYGGE
> Bibendum (p. 124)
> Bankeråt (p. 122)
> Palæ Bar (p. 90)
> Falernum (p. 134)
> Harbo Bar (p. 112)

SHOPPING

Dans le domaine du shopping, Copenhague compense son choix limité par la qualité et l'originalité. Si vous en avez assez des articles de masse des grandes chaînes, dirigez-vous vers les rues secondaires et les zones commerçantes moins connues. Bien sûr, toutes les grandes enseignes sont présentes, dont certains poids lourds nationaux comme Illums Bolighus (p. 62), Georg Jensen (p. 59) et Bang & Olufsen (p. 84). Celles-ci se concentrent sur la principale voie piétonne, Strøget. Néanmoins, la vraie force de la ville réside dans ses jeunes créateurs, qui travaillent seuls ou en petits collectifs et vendent leurs vêtements, articles de décoration intérieure, céramiques et verres dans leurs propres magasins. Ils sont principalement installés à Vesterbro (p. 126) et Nørrebro (p. 102), mais aussi dans les secteurs au nord et au sud de Strøget, entre la Kongens Nytorv et la Købmagergade, et dans Strædet (p. 55).

Les boutiques de Copenhague ont beau être fantastiques, il faut savoir que des lois strictes régissent le nombre d'heures et de jours d'ouverture dans la semaine. En outre, fait difficile à accepter pour ceux qui sont habitués à consommer à toute heure à Londres ou à New York, la plupart des commerces ferment tôt le samedi et rares sont ceux qui ouvrent le dimanche (hormis les petits épiciers). De nombreux magasins ouvrent toutefois tard (jusqu'à 19h ou 20h) le vendredi, et le dimanche, il y a toujours Malmö (p. 138).

Les visiteurs venant de pays non membres de l'UE et effectuant des achats au Danemark peuvent se faire rembourser la TVA de 25% (moins une commission) s'ils dépensent au moins 300 DKK dans n'importe quelle boutique agréée "Tax Free Shopping Global Refund" (ce qui est le cas de la plupart des commerces touristiques). La somme de 300 DKK peut être dépensée pour un seul article ou pour plusieurs, à condition qu'ils proviennent du même magasin. Pour plus d'informations, voir www.globalrefund.com.

MUSIQUE

Copenhague possède une petite scène musicale dynamique et quelques grandes salles offrant musique classique, jazz, opéra, rock et pop. Presque chaque soir, il est possible d'assister à des concerts : session tardive de jazz à La Fontaine (p. 71), *Cosi Fan Tutte* à l'opéra (p. 100) ou star des *charts* au Vega (p. 135). Les célébrités internationales comme Madonna et Bob Dylan préfèrent depuis peu le Jutland à la capitale, mais des établissements comme le Forum (p. 135) et le stade national Parken (p. 115) attirent encore certaines vedettes.

En termes de production nationale, le plus grand tube danois de tous les temps est *Barbie Girl* du groupe Aqua (aujourd'hui dissous), qui s'est vendu à 28 millions d'exemplaires à la fin des années 1990. C'était le premier grand succès international d'un artiste danois depuis *Saturday Night* de Whigfield, ce qui n'était pas un bilan très glorieux. Néanmoins, un petit nombre de musiciens danois de meilleure qualité lui ont succédé, dont Kashmir (souvent comparé à Radiohead), Tim Christensen (un talentueux chanteur-parolier de folk-rock), les Raveonettes (équivalent danois des White Stripes) et le groupe prog-rock Mew. Tous ont réalisé d'excellents chiffres de vente à l'étranger. Centrée sur Copenhague, la scène danoise des DJ et du remix bouillonne. SoulShock, Cutfather et Junior Senior ont franchi les frontières danoises.

En 2010, le **Festival de Roskilde** (www.roskilde-festival.dk ; 🕐 30 juin-3 juil 2011, 5-8 juil 2012) a reçu Prince, Patti Smith et Gorillaz, sans parler des nombreux groupes scandinaves. Kings of Leon et Iron Maiden s'y produiront en 2011. Le billet standard (camping inclus) coûtera 1 725 DKK en 2011. Voir aussi p. 20 et p. 26.

TOP 5 DES TITRES DANOIS

> *Wonderful Copenhagen* (Danny Kaye). À chantonner tout au long de votre séjour dans la ville…
> *Barbie Girl* (Aqua). Ce titre entêtant reste l'un des plus grands succès mondiaux du Danemark.
> *Love in a Trashcan* (The Raveonettes). Le single de l'album *Pretty in Black* sorti par le duo en 2005
> *Played-A-Live (The Bongo Song)* (Safri Duo). Rengaine idiote à la batterie d'un percussionniste classique danois, qui aurait certainement mieux à faire.
> *Fly on the Wings of Love* (Olsen Brothers). Vainqueur de l'Eurovision 2000. Moment de gloire éphémère du pays.

JAZZ

Le jazz arrive à Copenhague au milieu des années 1920. Rapidement, une scène locale animée prend son essor dans les clubs. De grands jazzmen internationaux comme Louis Armstrong et Django Reinhardt apprécient son public de connaisseurs enthousiastes. Stan Getz, Dexter Gordon et Ben Webster s'y installent même un temps à l'apogée de leur carrière. Après la Seconde Guerre mondiale, Copenhague s'établit comme la capitale scandinave du jazz. Le légendaire Montmartre Club figure alors parmi les plus célèbres salles de jazz d'Europe. Longtemps fermé, il a rouvert en juillet 2010 dans ses locaux d'origine sous le nom de Jazzhus Montmartre (p. 71). Il rejoint ainsi La Fontaine (p. 71), intime et historique, et d'autres établissements de moindre taille comme le Huset (p. 71).

Nombre des autres salles de concert de la ville, telles que le Koncertsal de Tivoli (p. 49) et l'opéra (p. 100), programment parfois du jazz, surtout pendant le Festival de jazz de Copenhague (p. 21), en juillet. Mais le géant de la scène jazz actuelle reste le Copenhagen Jazzhouse (p. 70), situé au nord de Strøget. Réparti sur deux étages, il varie les styles de jazz et présente des stars nationales et internationales. Les concerts sont souvent suivis de soirées sur la piste de danse intime du sous-sol. Avec le Vega (p. 135), c'est l'une des meilleures salles de concert de la ville.

Un nombre important de jazzmen danois et étrangers résident à Copenhague. Légende vivante du jazz local, Svend Asmussen, 91 ans, a joué à sa grande époque avec des vedettes comme Benny Goodman, Fats Waller et Django Reinhardt. Il se produit encore parfois à Copenhague, tout comme le trompettiste vétéran Palle Mikkelborg. Pour en apprendre davantage sur le jazz à Copenhague et découvrir quelques clubs, vous pouvez participer à un Jazz Tour (p. 180).

LES MEILLEURES SALLES DE JAZZ
> Copenhagen Jazzhouse (www. copenhagenjazzhouse.dk)
> La Fontaine (www.lafontaine.dk)
> Jazzhus Montmartre (www. jazzhusmontmartre.dk)
> Huset (www.huset.dk)
> Vega (www.vega.dk ; photo ci-contre)

SAISONS COPENHAGUOISES

Étant donné le climat parfois extrême, les saisons peuvent avoir un impact considérable sur votre visite. Pour autant, nous ne vous déconseillons pas de venir en hiver. Cette époque de l'année a aussi ses avantages, en particulier à la période de Noël. Copenhague sort alors le grand jeu : des décorations ornent les rues commerçantes de Strøget, Tivoli (p. 44) revêt ses plus beaux atours et les cafés proposent vin chaud à gogo et feux de cheminée. La neige empêchant rarement les habitants de vaquer à leurs occupations quotidiennes, inutile de craindre de vous retrouver bloqué à votre hôtel. Prévoyez simplement des habits chauds. Les boutiques d'équipements d'extérieur de la Frederiksborggade vendent des vêtements de sport d'hiver de qualité. Rien de tel qu'un lainage islandais pour vous protéger du froid ! De fin novembre à février, vous pouvez pratiquer le patin à glace sur les patinoires découvertes de Frederiksberg Runddel, Blågårds Plads, à Nørrebro et Toftegårds Plads, à Valby, en banlieue.

Cela dit, la plupart des gens s'accordent pour dire que la meilleure période pour visiter Copenhague s'étend de mai à août. Dès que le soleil réchauffe un peu l'atmosphère, la ville est le théâtre d'une extraordinaire métamorphose. Les habitants se dévêtissent, prennent d'assaut les terrasses des cafés et, le week-end, se défoulent avec les nombreux festivals (p. 24), les concerts en plein air et, il faut bien le dire, des quantités impressionnantes d'alcool. Ils vont même nager dans le port (voir p. 100). Attention : fin juillet, la ville peut sembler un peu morte. Les habitants partent alors dans leurs maisons d'été et certains des meilleurs restaurants ferment.

COPENHAGUE ROMANTIQUE

Pas facile d'entretenir le romantisme quand la température avoisine les -15°C, que vous avez de la neige boueuse jusqu'aux genoux et que vous êtes emmitouflé comme un bonhomme Michelin. Mais contre toute attente, Copenhague est une ville profondément romantique, même en hiver. Commencez par une balade à travers le Dyrehaven gelé (p. 107), puis revenez en ville pour un vin chaud au coin du feu au Cap Horn (p. 85) avant de dîner chez Alberto K (p. 46) en observant le doux scintillement des lumières de Suède. Le printemps venu, les possibilités se multiplient considérablement. Notamment parce qu'on peut alors enlever plusieurs couches de vêtements et retrouver forme humaine. Les cafés et restaurants sortent leurs tables, les fleurs éclosent dans le Frederiksberg Have (p. 128) et le Festival de jazz (p. 21) vous donne une bonne excuse pour entraîner l'être aimé sur la piste de danse.

LES MEILLEURS RESTAURANTS ROMANTIQUES
> Alberto K (p. 46)
> Orangeriet (p. 122)
> Paul (p. 47)
> Restaurant d'Angleterre (p. 89)
> Les Trois Cochons (p. 132)

LES PLUS BELLES PROMENADES ROMANTIQUES
> Tivoli (p. 44), mais seulement après la tombée de la nuit
> Kongens Have (p. 119), sauf quand les gens font bronzette
> Frederiksberg Have (p. 128), mais seulement au printemps
> Dyrehaven (p. 107), mais seulement quand il fait froid
> Langelinie jusqu'à la Petite Sirène (p. 82), mais seulement si le vent ne souffle pas

CUISINE TRADITIONNELLE

Malgré tout le raffut autour de la cuisine scandinave contemporaine, il faut bien admettre que les Danois restent assez conservateurs en matière culinaire. Si les Copenhaguois, en particulier les plus jeunes, dînent de plus en plus au restaurant, leurs compatriotes préfèrent généralement des plats maison nourrissants. Les mets à base de porc sont invariablement accompagnés de pommes de terre sous une forme ou une autre et de *brun sovs* (sauce brune). Tout Danois consomme régulièrement des *frikadeller*, les boulettes de viande traditionnelles, mélange de bœuf et de porc haché. Quant au hareng mariné (*sild*), il reste l'aliment de base de la *kolde bord* (table froide, équivalent danois du *smorgasbord* suédois).

Comme l'avez peut-être deviné, le régime danois n'est pas particulièrement équilibré. Il comprend beaucoup de graisses animales, d'aliments transformés et de produits laitiers. Le petit-déjeuner se compose souvent de pâtisseries, de fromages et de salaisons. Traditionnellement, les en-cas favoris sont les hot-dogs rigoureusement identiques vendus par les *pølser vogner* (camions à saucisses) qui stationnent dans toute la ville (mais nous l'admettons, une *pølser* tartinée de fausse moutarde et de ketchup a parfois du bon). Parmi les produits intéressants à goûter ou à rapporter chez soi, citons le rollmops, le salami, le poisson fumé, les fromages régionaux et l'aquavit, une eau de vie de pommes de terre à 40° parfumée aux herbes qui anesthésie le palais.

LE MEILLEUR DE LA CUISINE TRADITIONNELLE DANOISE
> Schønnemann (p. 67)
> Slotskælderen Hos Gitte Kik (p. 67)
> Aamanns Takeaway (p. 122)
> Cap Horn (p. 85)
> Kiosque à hot-dogs de la boulangerie Andersen (p. 47)

NOUVELLE CUISINE

Il y a encore quelques années, Copenhague aurait été le dernier endroit à recommander aux gourmets. Aujourd'hui, la capitale danoise compte plus d'étoiles au Michelin que n'importe quelle autre ville scandinave. Et c'est un chef danois qui a remporté le Bocuse d'Or en 2011.

Beaucoup de jeunes chefs ont en effet été formés dans de prestigieuses maisons européennes et américaines. Parmi eux, René Redzepi du Noma (p. 99) et Jakob Mielcke du Mielcke & Hurtigkarl (p. 132), ont associé leur expérience à des produits danois de qualité (porc, gibier, fruits de mer, champignons sauvages, baies, etc.) et à un respect scrupuleux des saisons. Le succès immédat du premier festival gastronomique, Copenhagen Cooking (p. 28), témoigne du sérieux avec lequel les Danois abordent désormais la restauration. Parmi les derniers arrivés sur la scène culinaire de Copenhague : le Kødbyens Fiskebar (p. 132), l'Orangeriet (p. 122) et le Restaurant AOC (p. 89) de Christian Aarø (première étoile au Michelin en 2010). La révolution gastronomique danoise est donc en marche et le nombre d'établissements avec terrasse a presque quadruplé ces dernières années. Voilà au moins un avantage du réchauffement climatique !

LE MEILLEUR DE LA CUISINE NORDIQUE MODERNE

> Noma (p. 99)
> Restaurant AOC (p. 89)
> Mielcke & Hurtigkarl (p. 132)

LES MEILLEURES ADRESSES POUR LES BECS SUCRÉS

> Siciliansk Is (p. 133)
> Lagkagehuset (p. 98)
> Taste (p. 89)

LES MEILLEURS ÉTABLISSEMENTS BON MARCHÉ

> Café Ñ (p. 108)
> Kiosque à hot-dogs de la boulangerie Andersen (p. 47)

> Wokshop Cantina (p. 89)
> Cofoco (p. 130)
> Morgenstedet (p. 98)

LES MEILLEURS RESTAURANTS ÉTRANGERS

> Damindra (p. 87)
> Kiin Kiin (p. 110)
> Fischer (p. 109)
> Sticks 'n' Sushi (p. 122)

LE PLUS BEAU DÉCOR

> Kødbyens Fiskebar (p. 132)
> Mielcke & Hurtigkarl (p. 132)

LE MEILLEUR REPAS CHEZ L'HABITANT

> 1.th (p. 85)

COPENHAGUE GAY ET LESBIEN

Copenhague est une destination appréciée des gays et des lesbiennes qui sont totalement acceptés dans la société danoise. La ville possède une scène gay peu importante mais active (et essentiellement masculine). Fondée en 1948 pour promouvoir les droits des homosexuels, la Landsforeningen for Bøsser and Lesbiske (Union des gays et lesbiennes ; www.lbl.dk) a remporté de grandes victoires. Ainsi, le Danemark est le premier pays à avoir légalement reconnu l'union de couple du même sexe, et l'adoption par des couples homosexuels y est autorisée.

Le principal festival gay et lesbien est la Copenhagen Pride (www.copenhagen-pride.dk), une manifestation culturelle se déroulant sur quatre jours en août. Elle inclut, le samedi, un défilé de style Mardi gras à travers les rues. Le Copenhagen Gay & Lesbian Film Festival (www.cglff.dk) a lieu chaque année en octobre. En ville, le parc HC Ørsteds est le principal lieu de drague gay. En 2009, la capitale a accueilli les World Outgames, les Jeux olympiques gays (www.copenhagen2009.org). Pour plus d'informations, consultez www.copenhagen-gay-life.dk et www.gayguide.dk.

LES MEILLEURS ÉTABLISSEMENTS GAYS
> Oscar Bar Café (www.oscarbarcafe.dk)
> Never Mind (p. 68)
> Jailhouse CPH (p. 68)
> Cosy Bar (www.myspace.com/cosybar)
> Café Intime (www.cafeintime.dk)

En route pour le château d'Amalienborg, le jour de l'anniversaire de la reine Margrethe II

HIER ET AUJOURD'HUI

HISTOIRE

FONDATION DE COPENHAGUE

En 1167, l'évêque Absalon érigea une forteresse sur Slotsholmen pour protéger les habitants contre les pirates de la Baltique. Les années suivantes, les villages portuaires s'étendirent et prirent le nom de Købmandshavn (port des marchands). Le hareng saur était alors la principale marchandise échangée, en partie en raison des préceptes religieux interdisant la consommation de viande durant les fêtes catholiques comme le carême.

En 1376, une nouvelle fortification fut entamée sur Slotsholmen. Le roi Erik de Poméranie installa sa résidence au château en 1416, établissant Copenhague en tant que capitale du Danemark.

Pendant la Réforme, un bras de fer opposa la monarchie et l'Église catholique. Monté sur le trône en 1523, Frederik Ier invita des prêtres luthériens au Danemark. Leur discours véhément contre le pouvoir corrompu de l'Église catholique trouva un écho auprès des désillusionnés. Déjà fragilisé par des troubles sociaux, le pays s'enfonça dans la guerre civile en 1534. Finalement, l'Église luthérienne danoise devint le seul culte autorisé par l'État.

Copenhague acquit l'essentiel de sa splendeur durant le règne de Christian IV (1588-1648). Couronné à l'âge de 10 ans, il resta au pouvoir pendant plus de 50 ans. Nombre des plus somptueux bâtiments de la ville datent de cette époque. Le roi étendit aussi considérablement les limites de la ville : il développa le quartier de Christianshavn sur le modèle d'Amsterdam. Parmi les nombreux édifices qui subsistent de cette période, on peut citer Børsen (p. 74), le château de Rosenborg (p. 120) et la Rundetårn (p. 11).

Hélas, la politique étrangère du roi était loin d'être aussi brillante. Il entraîna son pays dans la guerre de Trente Ans. Le 26 février 1658, la paix de Roskilde, traité le plus regretté de l'histoire danoise, fut signé par son successeur, Frederik III. Le Danemark dut céder un tiers de son territoire.

En 1728, un terrible incendie détruisit la plupart des bâtiments médiévaux de Copenhague. Un tiers de la ville fut anéanti, dont le centre du pouvoir à Slotsholmen. Un nouvel édifice plus majestueux, le château de Christiansborg, fut bâti pour le remplacer. En 1795, un deuxième incendie ravagea les bâtiments en bois restants, faisant disparaître les derniers vestiges de la ville médiévale d'Absalon et le nouveau château de Christiansborg.

À peine remis de cette catastrophe, Copenhague fut bombardée par la flotte britannique en 1801 et en 1807 (actes qui suscitent encore des ressentiments).

Dans les années 1830, Copenhague vécut une révolution culturelle dans les domaines de l'art, de la philosophie et de la littérature, et adopta sa première Constitution démocratique, promulguée le 5 juin 1849.

Parallèlement, la ville, auparavant sous administration royale, obtint le droit de former un conseil municipal. Pour faire face à la croissance urbaine et loger la nouvelle classe ouvrière, elle intégra les quartiers d'Østerbro, de Vesterbro et de Nørrebro.

SECONDE GUERRE MONDIALE

Le Danemark déclara sa neutralité dès le début de la Seconde Guerre mondiale. Mais le matin du 9 avril 1940, les troupes allemandes investirent des points stratégiques dans tout le pays. Malgré l'occupation, Copenhague et le reste du Danemark sortirent relativement indemnes du conflit.

Après la guerre, les sociaux-démocrates mirent en place un système de sécurité sociale important. Pendant la guerre et la récession économique qui l'avait précédée, de nombreux quartiers de Copenhague s'étaient fortement dégradés. En 1948, une grande partie de la ville fut réhabilitée selon un "plan en doigts", une ambitieuse politique de renouvellement urbain. S'écartant du centre tels les doigts d'une main, de nouveaux projets immobiliers entrecoupés de parcs et d'aménagements de loisirs virent le jour.

La monarchie danoise avance avec son temps tout en pérennisant le sens de la tradition. En mai 2004, le prince héritier Frederik a épousé Mary Donaldson, un événement que toute la capitale a fêté dignement.

En 2006, le Danemark a connu ce que le Premier ministre de l'époque, Anders Fogh Rasmussen, a qualifié de "pire crise depuis la Seconde Guerre mondiale". Après la publication par *Jyllands Posten*, un quotidien danois conservateur, de caricatures représentant le prophète Mahomet, le monde musulman a violemment manifesté et appelé au boycott des produits danois.

LE DRAPEAU DANOIS

Le drapeau danois, ou *Dannebrog*, serait le plus ancien drapeau national au monde. Selon la légende, le premier *Dannebrog* serait tombé du ciel pendant une bataille contre les Estoniens en 1219.

ARTS VISUELS

Copenhague est le centre incontesté de la scène artistique contemporaine danoise. À Christianshavn et Islands Brygge en particulier, les artistes sont légion. À commencer par Olafur Eliasson, réputé pour son installation *Weather Project* à la Tate Modern de Londres. Grâce aux financements, l'artiste incompris habitant dans sa pauvre mansarde est rare au Danemark et la ville compte des dizaines de galeries et d'espaces publics d'art, dont le Charlottenborg (p. 81), l'Overgaden (p. 95) et le Kunstforeningen (p. 54).

Certains désignent l'époque actuelle comme le nouvel "âge d'or" de l'art danois. Celui-ci a eu lieu durant la première moitié du XIXe siècle. Des artistes comme Christoffer Eckersberg (1783-1853) et Christian Købke (1810-1848) peignaient alors des scènes de la vie quotidienne d'une précision et d'une force incroyables. Des tableaux de cette période sont exposés au Statens Museum for Kunst (p. 120) et au musée Den Hirschsprungske Samling (p. 118). Bertel Thorvaldsen (1770-1844), le sculpteur le plus illustre de l'époque, a passé la majeure partie de sa vie d'artiste à Rome, produisant des œuvres inspirées de l'Antiquité classique. À son retour à Copenhague, il créa son propre musée (p. 77). CoBrA (un mot formé par les premières lettres de Copenhague, Bruxelles et Amsterdam, capitales d'où étaient originaires les artistes de ce mouvement artistique) a vu le jour dans la capitale danoise. Il a été fondé en 1948, entre autres, par l'artiste abstrait danois Asger Jørn (1914-1973). Plusieurs œuvres de ce mouvement se trouvent au Statens Museum (p. 120) et au Louisiana Museum for Modern Art (p. 14).

DESIGN

Jamais volontairement tendance, mais toujours à l'avant-garde, les designers danois se démarquent par un style industriel simple, fonctionnel et minimaliste. Les pionniers du début du XXe siècle tels que Georg Jensen (voir p. 59) ont ouvert la voie à des stars internationales comme Hans J. Wegner, Arne Jacobsen et Verner Panton. Avec ses courbures douces et épurées, la "chaise ronde" de 1948 de Wegner est souvent citée comme l'exemple type du design danois. Dix ans plus tard, Arne Jacobsen réalise son emblématique "chaise fourmi", en contreplaqué et tubes d'acier. D'ailleurs, la chaise est le meuble que les Danois ont le plus perfectionné. Panton l'a très bien illustré, avec sa chaise éponyme fabriquée en une seule pièce de plastique dans toute une variété de couleurs pop. Les designers danois excellent aussi dans le domaine de l'éclairage. Aujourd'hui encore, les créations de Poul Henningsen conservent une allure futuriste.

Le design danois a ajouté une touche de sensibilité au Bauhaus tout en revisitant de manière moderniste le mouvement anglais Arts and Crafts. Encensé sur le plan artistique, il récolte aussi un immense succès économique. Des marques comme Lego, Bang & Olufsen, Bodum, Georg Jensen et Royal Copenhagen sont reconnues dans le monde entier. Parmi les lieux les plus intéressants pour le design, citons le Dansk Design Center (p. 42), le Kunstindustrimuseet (p. 82) et les boutiques d'antiquités des rues Bredgade et Ravnsborggade. Néanmoins, le meilleur endroit pour voir le design danois reste la maison privée. Pour les Danois, un design de qualité n'est pas seulement destiné aux musées et institutions ; il doit s'inscrire dans le quotidien.

ENVIRONNEMENT

Les Danois ont une forte conscience écologique. Ils utilisent nettement plus les transports publics et le vélo que la plupart des autres Européens. En 1971, le Danemark a été le premier pays à créer un ministère de l'Environnement. La quasi-totalité des 5 000 km de côtes sont bordées d'eaux propres et sûres, les gens recyclent consciencieusement depuis les années 1970 (l'objectif étant de recycler 65% des déchets) et 20% de l'énergie produite actuellement dans le pays provient d'éoliennes.

C'est à ces éoliennes, gigantesques turbines futuristes (on en aperçoit de l'avion, à l'est du port, lors de la descente sur Copenhague), que le Danemark doit sa réputation de pays respectueux de l'environnement. Il est le plus grand fabricant d'éoliennes et le secteur danois de l'énergie espère produire 50% de son énergie par ce biais d'ici à 2025.

À l'opposé, l'ammoniac émanant du lisier de porc produit par l'important secteur porcin (le Danemark compte 13 millions de porcs pour 5,5 millions d'habitants) est problématique et la cigarette reste un fléau. Environ 25% des Danois de plus de 13 ans fument régulièrement et plus de 12 000 d'entre eux meurent chaque année de maladies liées au tabagisme. En avril 2007, une nouvelle loi plutôt laxiste interdisant de fumer dans les bâtiments publics est entrée en vigueur. Désormais, même la reine, fumeuse invétérée, s'abstient de fumer lorsqu'elle est en représentation officielle.

VIE POLITIQUE

En avril 2009, le ministre des Finances Lars Løkke Rasmussen (du parti
libéral Venstre) a pris la tête du gouvernement à la place d'Anders Fogh
Rasmussen, nommé secrétaire général de l'OTAN. Jusqu'à présent, sa
popularité a été malmenée à plusieurs reprises. En 2009, lors du sommet de
Copenhague sur le climat, sa présidence a été désavouée après qu'un projet
d'accord danois a filtré (ce document avantageait les nations développées
par rapport aux membres plus pauvres de l'ONU). En mai 2010, il annonça
d'importantes coupes budgétaires visant à économiser 24 milliards de
couronnes danoises, notamment dans les domaines de l'assurance-
chômage, des allocations familiales et de l'aide à l'étranger.

Sur le plan politique, le Danemark est une monarchie constitutionnelle
avec un Parlement monocaméral de 179 membres et une multitude de
partis. Traditionnellement, les Danois préfèrent un système politique
fondé sur le consensus et le compromis. Lorsqu'Anders Fogh Rasmussen
(non apparenté à l'actuel Premier ministre Lars Løkke Rasmussen) fut élu
en 2001, il n'obtint pas suffisamment de sièges pour former une majorité.
Il en a résulté une coalition au sein de laquelle le Folke Parti conservateur,
troisième parti du pays, reste très puissant.

Beaucoup considèrent que la critique du multiculturalisme danois formulée
par le Folke Parti a influencé Anders Fogh Rasmussen lorsqu'il a imposé
un resserrement des lois sur l'immigration. Jugées parmi les plus strictes
d'Europe, ces lois ont suscité des controverses à l'échelle internationale. Parmi
ses opposants figuraient le commissaire aux droits de l'homme du Conseil de
l'Europe et l'Agence des Nations Unies pour les réfugiés.

En 2006, la publication des caricatures du prophète Mahomet a mis le feu
aux poudres en montrant les dessins à des amis en Arabie saoudite. Dans
tout le Moyen-Orient, le *Dannebrog* (drapeau danois) a été brûlé dans les
rues au cours de violentes manifestations.

QUELQUES IDÉES DE LECTURE

Tout comme l'art, la littérature danoise connut une période dorée pendant
la première moitié du XIXe siècle. Celle-ci vit émerger Adam Ohlenschläger,
poète et dramaturge romantique, et Hans Christian Andersen (p. 45), qui
s'est essayé à tous les genres littéraires, des poèmes aux récits de voyage,
mais qui reste surtout célèbre pour ses Contes. Nicolaj Frederik Severin
Grundtvig, figure littéraire importante au Danemark, et Bernhard Severin
Ingemann sont d'autres poètes de cette époque.

TOP 5 DES LIVRES

> *Contes*, Hans Christian Andersen (Gallimard, 1994). Le livre danois le plus célèbre au monde décrit à plusieurs reprises des lieux réels de Copenhague.

> *Ou bien... ou bien*, Søren Kierkegaard (Gallimard, 1984). Premier grand ouvrage du père de l'existentialisme.

> *Smilla et l'amour de la neige*, Peter Høeg (Seuil, 1996). Best-seller mondial se déroulant essentiellement à Christianshavn. Un film a été tourné plus tard avec Julia Ormond et Richard Harris.

> *Silence en octobre*, Jens Christian Grøndahl (Gallimard, 1999). Après le départ de sa femme, un homme fait le point sur ses sentiments. Une méditation captivante sur la dissolution d'un mariage. Ce film est tourné dans de nombreux lieux de Copenhague, notamment autour des lacs.

> *Kilroy, Kilroy*, Ib Michael (Christian Bourgois, 1993). Chef de file danois du réalisme et écrivain préféré des Danois.

Un autre personnage important de l'âge d'or littéraire est Søren Kierkegaard (p. 55), dont la première œuvre publiée était une critique d'un roman d'Andersen (l'ouvrage n'était pas d'un abord facile et, à l'époque, on racontait que seules deux personnes l'avaient lu : l'auteur et Andersen). Vers 1870, la tendance était au réalisme et aux sujets contemporains. L'un des leaders de ce mouvement, Henrik Pontoppidan, reçut le prix Nobel de littérature en 1917. Karl Adolph Gjellerup l'obtint la même année, et Johannes Vilhelm Jensen en 1944. N'oublions pas Martin Andersen Nexø (1869-1954), auteur entre autres de la saga *Pelle le Conquérant* (Points, 2005).

Également nommée pour le prix, Karen Blixen est le plus célèbre écrivain danois du XXᵉ siècle. Elle est surtout connue pour ses mémoires intitulées *La Ferme africaine* (Gallimard, 2006), qui ont inspiré un film primé aux Oscars, avec Meryl Streep et Robert Redford. L'un des grands romanciers contemporains danois est le discret Peter Høeg, un ancien danseur classique. En 1992, son livre *Smilla et l'amour de la neige* est un succès mondial. Il sera adapté à l'écran par Billie August. Plusieurs de ses œuvres sont traduites en français.

Ces dix dernières années, deux auteurs britanniques ont pris pour thème Copenhague et certains de ses plus illustres résidents. Ainsi, *Musique et silence* (J'ai lu, 2009) de Rose Tremain raconte la vie troublée du roi Christian IV, tandis que la pièce de Michael Frayn, *Copenhague* (Actes Sud, 1999), imagine ce qui a pu se passer entre les physiciens nucléaires Niels Bohr et Werner Heisenberg pendant la Seconde Guerre mondiale.

CINÉMA

Carl Dreyer (1889-1968) est probablement l'un des cinéastes danois les plus connus du début du XXe siècle. *La Passion de Jeanne d'Arc* (1928) et *Jour de colère* (1943) sont deux chefs-d'œuvre qui ont bouleversé le cinéma de l'époque.

Il fallut ensuite attendre les années 1980 pour que le cinéma danois se fasse à nouveau connaître hors de ses frontières. Ainsi, Gabriel Axel reçut l'Oscar du meilleur film étranger pour *le Festin de Babette* (1988), tout comme Billie August pour *Pellé le Conquérant* en 1989. August tourna ensuite *La Maison des esprits* (1993), avec Glenn Close et Jeremy Irons.

Mais le cinéaste danois le plus connu et le plus controversé de ces dernières années est sans aucun doute Lars von Trier, révélé par *Breaking the Waves* et fondateur avec Thomas Vinterberg (*Festen*, 1998) du Dogme95, qui définit d'après dix règles précises une façon de filmer. Les films "dogmatiques" répondent à un style de réalisation épuré et simplifié : pas ou peu de montage, prise de son en direct, filmé caméra sur épaule, etc. Parmi les autres films de von Trier, on peut citer *Dancer in the dark* avec Björk ou *Dogville* avec Nicole Kidman et le dernier, *Antichrist* qui a suscité la polémique à Cannes où il a valu le prix d'interprétation à son interprète, Charlotte Gainsbourg.

Le Dogme95 a suscité des vocations au Danemark (*Mifune* de Søren Kragh-Jacobsen, 1999) et ailleurs (*Lovers* de Jean-Marc Barr, 1999).

Enfin, l'inoubliable Aragorn du *Seigneur des anneaux*, l'acteur Viggo Mortensen, est de nationalité danoise.

HÉBERGEMENT

Copenhague connaît actuellement un boom hôtelier. En cinq ans, le nombre de chambres a augmenté de plus de 40% pour atteindre plus de 15 000. Si cette explosion concerne surtout la moyenne gamme (800 à 2 000 DKK), on note aussi une nette progression dans la catégorie bon marché (450 à 800 DKK). Loger à Copenhague n'est donc plus aussi coûteux qu'auparavant.

Les hôtels petits budgets se regroupent à l'ouest de la gare centrale, autour de la Vesterbrogade et des parties plus "chaudes" de l'Istedgade. Les adresses sont un peu plus chères sur la Rådhuspladsou ou à proximité. Enfin, la majeure partie des luxueux quatre et cinq-étoiles se trouvent à l'est du centre-ville, vers la Kongens Nytorv, la Bredgade et le port.

Ces dernières années, la chaîne Cab-Inn (www.cabinn.com) a révolutionné l'hébergement bon marché à Copenhague. Elle possède quatre hôtels (dont seul le Cab-Inn City est réellement central), avec des chambres à 485 DKK par personne. Son dernier rival, Wakeup Copenhagen (www.wakeupcopenhagen.com), est un deux-étoiles impeccable pourvu de meubles de designers danois (à partir de 400 DKK par personne), situé non loin de la gare centrale, de Tivoli et du front de mer. Tout près, la Danhostel Copenhagen City (www.danhostel.dk), immense auberge de jeunesse de "designer", est une autre bonne adresse pour voyageurs à petit budget.

LES MEILLEURS HÔTELS
> Hotel d'Angleterre (www.remmen.dk)
> Hotel Sankt Petri
  (www.hotelsktpetri.dk)
> Radisson Blu Royal (www.radisson.com)
> Hotel Fox (www.hotelfox.dk)
> Square
  (www.thesquarecopenhagen.com)
> Hotel Scandic Front (www.front.dk)

LE MEILLEUR HÔTEL
PROCHE DE L'AÉROPORT
> Hilton Copenhagen Airport
  (www.hilton.com)

LES MEILLEURS HÔTELS
BON MARCHÉ
> Wakeup Copenhagen
  (www.wakeupcopenhagen.com)
> Danhostel Copenhagen City
  (www.danhostel.dk)

LE MEILLEUR HÔTEL
DE CHARME
> Hotel Guldsmeden chain
  (www.hotelguldsmeden.dk)

RÅDHUSPLADSEN ET TIVOLI

🏠 DANHOTEL COPENHAGEN CITY

☎ 33 11 85 85 ; www.danhostel.dk/copenhagencity.dk ; HC Andersens Blvd 50 ; dort 135-185 DKK ; s/d avec sdb 580-1 480 DKK ; 🖳
Juste au sud de Tivoli, cette tour surplombant le port ne pourrait être plus centrale. Elle ressemble davantage à un hôtel de designer qu'à une auberge de jeunesse (intérieur créé par le cabinet de design Gubi). Avec salon/salle TV et café bio. Réservez longtemps à l'avance.

🏠 CABINN HOTELS

www.cabinn.dk ; s/d avec sdb 485/615 DKK, petit-déj 60 DKK
Moderne, bon marché et bien tenue, la chaîne Cabinn a conquis Copenhague en ouvrant trois établissements au cours des dernières années. Le plus proche du centre est le **Cabinn Copenhagen City** (☎ 33 46 16 16 ; Mitchellsgade 14), juste au sud de Tivoli. Les chambres sont petites et quelconques, mais confortables, avec Wi-Fi gratuit, thé, TV câblée et téléphone. Réception ouverte 24h/24. Les autres adresses : **Cabinn Scandinavia** (☎ 35 36 11 11 ; Vodroffsvej 57, Frederiksberg), **Cabinn Copenhagen Express** (☎ 33 21 04 00 ; Danasvej 32, Frederiksberg), toutes deux

avec parking. Quant au **Cabinn Metro Hotel** (☎ 45 32 46 57 00 ; Arne Jakobsens Allé 2), il se touve près de l'aéroport de Copenhague.

🏠 HOTEL SANKT THOMAS

☎ 33 21 64 64 ; www.sctthomas.com ; Frederiksberg Allé 7, Frederiksberg ; s 595 DKK, d 695-1 095 DKK ; 🅿 🖳
Un chaleureux petit hôtel niché dans un bâtiment du XIXe siècle, à 10-15 minutes à pied du centre. Proche des nouveaux bars, restaurants et théâtres du quartier.

🏠 THE SQUARE

☎ 33 38 12 00 ; www.thesquare.dk ; Rådhuspladsen 14 ; s/d à partir de 990/1 090 DKK ; 🖥 🖳
Un excellent trois-étoiles ultramoderne et branché (chaises Jacobsen, tissus peau de vache, cuir rouge). Il arbore des touches design et des équipements qui vont normalement de pair avec des tarifs plus élevés et une ambiance plus guindée. Belles chambres, dont certaines avec une vue superbe sur la place. À deux pas des principaux sites.

🏠 HOTEL ASCOT

☎ 33 12 60 00 ; www.ascothotel.dk ; Studiestræde 61 ; s/d à partir de 1 290/1 490 DKK ; 🅿 🖳
Cet agréable hôtel occupe d'anciens bains publics érigés il y a 100 ans par l'architecte de l'Hôtel-de-Ville (Martin

Nyrop). La plupart des 155 chambres sont grandes et certaines disposent d'une cuisine et d'un accès Internet. Toutes sont munies de baignoires profondes et présentent un décor éclectique. Seul bémol : les lieux ne sont pas aisément accessibles aux personnes en fauteuil roulant.

HOTEL KONG FREDERIK

☎ 33 12 59 02 ; www.firsthotels.com ; Vester Voldgade 25 ; s/d à partir de 931/1 101 DKK ; P ⚹ 💻
Ce quatre-étoiles classique de style britannique présente un fort cachet historique fait de boiseries sombres, d'antiquités et de portraits de la royauté danoise. 110 chambres chics et confortables, avec TV, téléphone, minibar et sèche-cheveux. Accès gratuit au spa/centre fitness de l'Hotel d'Angleterre.

HOTEL ALEXANDRA

☎ 33 74 44 44 ; www.hotel-alexandra. dk ; HC Andersens Blvd 8 ; s/d à partir de 1 445/1 745 DKK ; P 💻
Un établissement central, titulaire du label Clef verte. Il est rempli de magnifiques meubles danois classiques du XXᵉ siècle de designers comme Arne Jacobsen ou Ole Wanscher. Au rez-de-chaussée, le restaurant Bistroen contient du mobilier signé Kaare Klint et Børge Mogensen. Un hôtel inoubliable qui change de tous ces établissements au design scandinave moderne et lisse.

HOTEL TWENTYSEVEN

☎ 70 27 56 27 ; www.hotel27.dk ; Løngangstræde 27 ; à partir de 990 DKK ; ⚹ ⚹ 💻
Près de la Rådhuspladss, cet hôtel modernes ultratendance affiche des prix étonnamment raisonnables pour ses 200 chambres avec TV à écran plat, sdb en ardoise noire et soins bio. Au sous-sol, ne manquez pas l'Ice Bar.

HOTEL FOX

☎ 33 13 30 00 ; www.foxhotel. dk ; Jarmers Plads 3 ; s/d à partir de 750/950 DKK ; ⚹ ⚹ 💻
Chaque chambre ayant été aménagée par un artiste/designer/ différent, le Fox ajoute un petit plus à votre séjour dans la capitale danoise. Initialement conçu pour promouvoir une voiture VW, il est devenu le lieu de prédilection d'une clientèle bohème et branchée. Le bar lounge du hall d'entrée est très agréable le week-end en matinée.

RADISSON BLU ROYAL HOTEL

☎ 33 42 60 00 ; www.radissonblu. com/royalhotel-copenhagen ; Hammerichsgade 1 ; s/d à partir de 1 395/2 095 DKK ; P ⚹ ⚹ 💻
Très central et célébrissime (Arne Jacobsen l'a conçu et la chambre 606 – qui coûte la modique somme de 4 900 DKK/nuit – a été conservée intacte), cet immeuble

de 265 chambres est apprécié des voyageurs d'affaires aisés et des dignitaires en visite. Service incomparable. Au 20e et dernier étage, l'excellent restaurant Alberto K (p. 46) est vivement conseillé.

STRØGET ET LE QUARTIER LATIN

🏠 FIRST HOTEL SANKT PETRI

☎ 33 45 91 00 ; www.hotelsktpetri. com ; Krystalgade 22 ; s/d à partir de 1 095/1 295 DKK ; P 🕅 🕅 🖳
L'un des hôtels le plus tendance de la ville. Des chambres fabuleuses (dont beaucoup avec une belle vue sur les toits du Quartier latin) de style scandinave classique du XXIe siècle. Fantastique bar dans l'atrium du hall d'accueil.

NYHAVN

🏠 COPENHAGEN STRAND

☎ 33 48 99 00 ; www. copenhagenstrand.dk ; Havnegade 37 ; s/d à partir de 1 655/1 995 DKK ; 🕅 🖳
Un excellent hôtel de catégorie moyenne surplombant le port. Il comporte 174 chambres avec TV câblée, minibar et téléphone. Le centre d'affaires et le bar du hall d'entrée en font une adresse pratique pour la clientèle d'affaires.

🏠 71 NYHAVN HOTEL

☎ 33 43 62 00 ; www.71nyhavnhotel. dk ; Nyhavn 71 ; s/d à partir de 1 290/1 490 DKK ; 🖳
Cet hôtel exceptionnel (dont le nom est commode pour retenir l'adresse) est installé au bord du canal, dans un superbe entrepôt vieux de 200 ans dont il a conservé certains détails d'époque. Service impeccable et situation imbattable. Vue splendide sur le port et le canal de Nyhavn. Apprécié des voyageurs d'affaires, il offre parfois des réductions le week-end.

🏠 SCANDIC FRONT

☎ 33 13 34 00 ; www.scandichotels.com/ hotels/Countries/Denmark/Copenhagen/ Hotels/Front/# ; Sankt Annæ Plads 21 ; s/d à partir de 1 050/1 450 DKK ; 🕅 🖳
L'hôtel le plus séduisant de Copenhague, à l'arrière de Nyhavn, avec vue sur le port. Décor scandinave contemporain branché associé à des bois teintés et à des beiges discrets. Il propose 133 chambres tout confort et un restaurant servant une cuisine fusion internationale.

🏠 HOTEL D'ANGLETERRE

☎ 33 12 00 95 ; www.remmen.dk ; Kongens Nytorv 34 ; s/d à partir de 205/275 € ; P 🕅 🖳
Les célébrités en visite optent souvent pour ce cinq-étoiles au luxe rassurant, tout en lustres,

marbre et décor historique (il date du XVIIIe siècle). Certains des tarifs les plus élevés de Copenhague (à partir de 1 870 € pour la suite royale). Malgré son passé glorieux, l'hôtel n'a plus la réputation irréprochable dont il jouissait auparavant. Le service, bien que tout à fait correct, n'est pas exactement à la hauteur de ce qu'on pourrait attendre d'un établissement de ce type. Cela dit, la salle de fitness et le spa sont exceptionnels, et les aménagements d'affaires d'excellente qualité.

NØRREPORT
⌂ HOTEL KONG ARTHUR
☎ 33 11 12 12 ; www.kongarthur. dk ; Nørre Søgade 11 ; d à partir de 1 530 DKK ; Ⓟ
Un établissement chic surplombant Peblinge Sø. Ses 107 chambres (avec TV, minibar, presse-pantalon et belles sdb) sont décorées de tapis perses et de détails d'époque comme des armures. Il dispose d'une jolie cour intérieure et d'une charmante véranda où le petit-déjeuner est servi en cas de mauvais temps.

⌂ IBSENS HOTEL
☎ 33 13 19 16 ; www.ibsenshotel.dk ; Vendersgade 23 ; d à partir de 1 260 DKK
Membre du Brøchner Group (qui comprend également le Fox et le Kong Arthur), l'Ibsens offre 118 chambres réparties sur quatre étages d'un bâtiment d'époque

rénové. Décor original différent dans chaque chambre : moderne (design scandinave contemporain), romantique ou traditionnel (antiquités et belles étoffes). Toutes les chambres sont équipées de lits confortables, d'un téléphone et d'une TV. Non loin de l'animation de la Nansensgade, c'est une adresse idéale pour découvrir le Copenhague authentique.

VESTERBRO
⌂ SAVOY HOTEL
☎ 33 26 75 00 ; www.savoyhotel.dk ; Vesterbrogade 34 ; s/d 695/795 DKK
Rénové il y a quelques années, cet hôtel centenaire a conservé en partie son cachet d'époque et ses décors Art nouveau. Bien que situé dans une rue bruyante, ses 66 chambres (avec TV câblée, minibar et machine à café) donnent sur une cour tranquille. Service des plus efficaces et aimables.

⌂ TIFFANY
☎ 33 21 80 50 ; www.hoteltiffany.dk ; Colbjørnsensgade 28 ; s/d 745/895 DKK ;
Un agréable petit établissement plein de charme. Il loue 29 chambres avec TV, téléphone, presse-pantalon, sdb et kitchenette équipée (réfrigérateur et micro-ondes). Service gentil et prévenant. Un excellent rapport qualité/prix dans cette catégorie.

⌂ HOTEL GULDSMEDEN
www.hotelguldsmeden.dk
Les somptueux hôtels Guldsmeden comprennent le **Bertrams** (☎ 33 25 04 05 ; Vesterbrogade 107 ; s/d à partir de 971/1 495 DKK), le **Carlton** (☎ 33 22 15 00 ; Vesterbrogade 66 ; s/d à partir de 695/795 DKK) et l'**Axel** (☎ 33 31 32 66 ; Helgolandsgade 7-11 ; s/d 815/1 200 DKK), tout aussi attrayant, à deux pas de l'Istedgade. Le décor de style colonial fait de pierre apparente, de bois brut, de draps blancs et de baignoires spectaculaires est la particularité de cette chaîne prisée par les voyageurs aux goûts raffinés.

AGGLOMÉRATION DE COPENHAGUE

⌂ DANHOSTEL COPENHAGEN BELLAHØJ
☎ 38 28 97 15 ; www.youth-hostel.dk ; Herbergvejen 8, Brønshøj ; dor/s/d 199/549/449 DKK ; ▭

Une auberge plutôt intime, malgré sa taille (250 lits). Située dans un faubourg tranquille, à 4 km au nord-ouest du centre-ville. Parmi les équipements, une buanderie, une cafétéria, une salle TV et des tables de ping-pong. Réception ouverte 24h/24. Pour vous y rendre, prenez le bus 2A.

⌂ CHARLOTTENLUND FORT
☎ 39 62 36 88 ; www.campingcopenhagen.dk ; Strandvejen 144B ; camping par adulte 95 DKK ; ☼ 15 avril-26 sept
Au bord de la plage de Charlottenlund, à 8 km au nord du centre, ce camping sympathique occupe le terrain arboré d'un vieux fort côtier encerclé de douves. À votre disposition, un snack, des douches, une laverie automatique et, à quelques centaines de mètres, une boulangerie et un supermarché. Les places étant limitées, il est recommandé de réserver. Pour vous y rendre, prenez le bus 6A.

CARNET PRATIQUE

TRANSPORTS

ARRIVÉE ET DÉPART

ARRIVÉE AU DANEMARK

Pour les ressortissants de l'UE et de la Suisse, une simple carte d'identité suffit. Les Canadiens n'ont pas besoin de visa pour un séjour n'excédant pas 90 jours. Ils doivent toutefois présenter un passeport valide.

PAR AVION

Depuis la France

Air France (☎ 36 54 ; www.airfrance. fr) dessert Copenhague 5 fois par jour au départ de Paris Charles-de-Gaulle. Comptez environ 2 heures de vol et 180 € pour un aller-retour. Il y a également un vol direct par jour à partir de Strasbourg. La compagnie scandinave **SAS** (☎ 0825 325 335 ; www.flysas.com/fr/fr/) assure des vols réguliers au départ de Paris pour des tarifs inférieurs (à partir de 150 € environ).

Les compagnies low-cost **EasyJet** (www.easyjet.com.fr) et **Norwegian** (☎ 00 47 214 90 015 ; www.norwegian.com/fr/) proposent des vols directs au départ de Paris CDG et de Paris-Orly.

Depuis la Belgique

Brussels Airlines (☎ 0902 51 600 ; www.brusselsairlines.com/com/) et **SAS** (☎ 02 643 6900 ; www.flysas.com/fr/be) assurent des vols directs pour Copenhague au départ de Bruxelles. Comptez de 1 heure 30 à 1 heure 40 de vol et de 150 à 200 € pour un aller-retour.

Depuis la Suisse

Swiss International Airlines (☎ 848 700 700 www.swiss.com) et **SAS** (☎ 0848 117 100 ; www.flysas.com/fr/ch) relient Zurich à Copenhague par des vols directs (1 heure 45 et des tarifs allant de 150 à 170 €).

Aéroport

L'aéroport international de Copenhague, le **Copenhagen Kastrup** (☎ 33 21 32 31 ; www.cph.dk), occupe la pointe sud-est de l'île d'Amager, au sud-est du centre-ville. Kastrup compte trois terminaux : le terminal 1 est réservé aux vols intérieurs ; les terminaux 2 et 3 servent aux vols internationaux. Pour gagner du temps, vérifiez votre terminal d'arrivée/de départ, même si on peut rapidement rallier les différents terminaux à pied.

Le moyen le plus rapide et le moins onéreux pour rejoindre la partie ouest du centre-ville est le train qui passe sous le terminal 3 et vous conduira à la gare centrale en 12 minutes (aller simple 36 DKK). De là, vous pouvez prendre l'une des 13 lignes de S-tog (l'équivalent du RER parisien) qui desservent la capitale et sa banlieue.

PAR LA ROUTE, LA MER ET LE RAIL

Pour éviter l'avion, vous pouvez rejoindre Copenhague en bateau ou en train. Depuis la Scandinavie, par exemple, prenez un ferry reliant Oslo à Copenhague (☎ 33 42 30 10 ; www. dfdsseaways.com), ou Helsingborg (Suède) à Helsingør, à 40 minutes au nord de la capitale par le train (HH Ferries ; ☎ 49 26 01 55 ; www.hhferries.dk ; Scandlines ; ☎ 33 15 15 15 ; www. scandlines.dk). Des ferries partent toutes les 20 minutes en journée et toutes les 30 minutes la nuit. Les bateaux pour Swinoujscie, en Pologne, larguent leurs amarres de Nordhavn (le port nord) pour une traversée d'environ 10 heures (Polferries ; ☎ 46 40 97 61 80 ; www. polferries.se). De Hambourg, en Allemagne, comptez 5 heures de train jusqu'à la gare centrale de Copenhague, via le train-ferry Puttgarden-Rødby (DSB ; ☎ 70 13 14 15 ; www.dsb.dk).

Eurolines Scandinavia propose une liaison en car depuis/vers Stockholm et Göteborg (☎ 33 88 70 00 ; www.eurolines.dk ; Halmtorvet 5, Vesterbro). À Copenhague, départ d'Ingerslevsgade, près de la gare centrale. Il est impératif de réserver son billet sur Internet ou à l'agence d'Halmtorvet.

Le métro ne passe pas par la gare centrale, mais la ligne M2 relie directement la partie est de la ville au terminal 3 de l'aéroport (station Lufthavenen). Le ticket de métro (46 DKK) est valable 90 minutes.

Vous trouverez un arrêt de taxi à la sortie du terminal 3. Comptez 250 DKK et 20 minutes jusqu'au centre-ville.

Les principales agences de location de voitures possèdent un comptoir à l'aéroport.

L'aéroport de Malmö est très éloigné de la ville et à plus d'une heure de bus du centre de Copenhague.

EN TRAIN

Tous les trains, qu'ils viennent de Suède (via le pont d'Øresund) ou d'Allemagne, s'arrêtent à la gare centrale. Contactez **DSB** (☎ 70 13 14 15 ; www.dsb.dk).

COMMENT CIRCULER

La marche est le meilleur moyen de parcourir le centre-ville, essentiellement piétonnier et non desservi par les bus. Son remarquable réseau de transports modernes (bus, métro et S-tog) est pourtant l'un des points forts de Copenhague. Le site www.rejseplanen.dk fournit des informations sur les transports publics dans la capitale (S-tog et bus) et un outil de calcul d'itinéraires pour les bus, le métro, les trains et S-tog.

VÉLOS

D'avril à novembre, la municipalité met à disposition des usagers 2 000 vélos répartis sur 110 emplacements au centre-ville. Pour prendre une bicyclette, glissez 20 DKK dans la fente (comme pour un Caddie de supermarché), que vous récupérerez automatiquement en déposant le vélo à l'arrivée.

CARNET PRATIQUE

Pour louer un vélo, la meilleure option est **Københavns Cykler** (carte p. 127, D3 ; ☎ 33 33 86 13 ; www.copenhagen-bikes.dk ; Reventlowsgade 11 ; 85-230 DKK/jour ; ⏲ 8h-17h30 lun-ven, 9h-13 sam ; 🚉 Gare centrale), au sous-sol de la gare centrale. Les vélos sont en bon état et peuvent être équipés d'un siège enfant. Tarif dégressif en fonction du nombre de jours (caution 500-1 000 DKK).

BILLETS ET TITRES DE TRANSPORT

Les transports copenhaguois appliquent un système de tarification unique comprenant neuf zones géographiques. En général, la plupart des déplacements touristiques s'effectuent sur deux zones. Chaque ticket donne droit à un trajet d'une heure (1-2 zones adulte/enfant 12-15 ans 24/12 DKK ; 3 zones 36/24 DKK ; les -12 ans voyagent gratuitement avec un adulte). Une carte de 10 tickets revient moins cher (1-2 zones adulte/enfant 150/70 DKK ; 3 zones 180/90 DKK) ; elle doit être compostée dans les appareils jaunes à l'entrée des bus ou sur les quais du train/métro. Chaque ticket permet de circuler pendant une heure sur les trois réseaux de transports : métro, bus et S-tog (même si leur présentation diffère un peu selon le guichet qui les vend).

La "Copenhagen Card" (p. 183) permet d'emprunter librement tous les types de transport.

MÉTRO

Avec ses rames sans chauffeur, le **métro** (☎ 70 15 16 15 ; www.m.dk ; ⏲ service clientèle 8h-16h lun-ven) traverse Copenhague à vive allure depuis Vanløse, dans la banlieue ouest, à la partie est du centre-ville, puis jusqu'à l'île d'Amager. Les trains circulent 24h/24 à des intervalles compris entre 2 et 20 minutes. Les stations les plus fréquentées par les visiteurs sont Nørreport, Kongens Nytorv et Christianshavn. Les deux lignes, M1 et M2, se séparent à Christianshavn. La ligne M1 (jaune) dessert l'aéroport de Copenhague (la station s'appelle Lufthavnen) ; le trajet dure 14 minutes depuis Kongens Nytorv (48 DKK).

S-TOG

Ce réseau express régional relie la banlieue au centre de Copenhague via Østerport, Nørreport, Vesterport et la gare centrale (ces deux derniers arrêts étant très proches). Il compte sept lignes, qui fonctionnent de 5h à 0h30 environ, avec un service ininterrompu les nuits du vendredi et du samedi. Consultez le site www.dsb.dk.

Aucune ligne de S-tog ne dessert l'aéroport.

Le réseau S-tog fait partie du système de tarification unique, de même que les bus et le métro, si bien que vous pouvez emprunter ces trois modes de transport avec le même ticket, pendant une heure, à l'intérieur des zones sélectionnées. Pour les tarifs, voir p. 177.

TRAIN POUR LA SUÈDE

Malmö se trouve à 35 minutes de Copenhague en train. Pour des renseignements sur les principales lignes ferroviaires et sur les trains pour la Suède, consultez le site www.rejseplanen.dk ou contactez **DSB** (☎ 70 13 14 15 ; www.dsb.dk).

BUS

Les bus circulent jour et nuit, avec une fréquence réduite pendant le service nocturne (1h-5h). Les bus HT jaunes sont intégrés au système de tarification unique, qui permet d'emprunter bus, métro et S-tog avec le même ticket. Pour les tarifs, voir p. 177.

Les bus copenhaguois sont gérés par Arriva, dont le site Internet est uniquement en danois (www.movia. dk). Vous pouvez aussi contacter le service de renseignements téléphoniques (☎ 36 13 14 15), mais il n'est pas certain que votre interlocuteur parlera l'anglais. Vous pouvez néanmoins planifier vos déplacements dans la capitale et ses alentours sur le site www. rejseplanen.dk (en anglais).

TAXI

Vous pouvez héler un taxi dans la rue ou aller à l'un des arrêts du centre-ville. Un taxi est libre quand le signal lumineux jaune

"Taxa" est allumé. Le tarif débute à 24 DKK (37 DKK s'il a été réservé par téléphone), puis 11,5 DKK/km de 7h à 16h du lundi au vendredi, 12,5 DKK de 16h à 7h du lundi au vendredi et toute la journée du samedi et du dimanche, et 15,8 DKK de 23h à 7h du vendredi soir au samedi matin et les jours fériés. La plupart des taxis acceptent les cartes de crédit. Principales compagnies :
Codan Taxi (☎ 70 25 25 25)
Hovedstadens Taxi (☎ 38 77 77 77)
Taxa 4x35 (☎ 35 35 35 35)
Taxamotor (☎ 38 10 10 10)

CYCLO-POUSSE

En été, vous pouvez monter dans un **Quickshaw** (☎ 35 43 01 22 ; www.rickshaw. dk) ou un **vélo-taxi** (☎ 27 31 38 33 ; www. flyingtigers-cykeltaxa.dk) pour parcourir le centre-ville (tarifs variables).

NAVETTES FLUVIALES

Les **navettes fluviales** (☎ 32 96 30 00 ; www.canaltours.com) font une boucle depuis Nyhavn : au nord, elles desservent Nordatlantisk Brygge, l'Opéra, la Petite Sirène, Langelinie (port de croisière), Halvandet et l'Amaliehaven (Palais royal) ; au sud, Christianshavns Torv, le Black Diamond (Det Kongelige Bibliotek), Islands Brygge, Fisketorvet, le Marriott Hotel et Gammel Strand.

Achetez votre billet au guichet DFDS de Nyhavn ou à bord. Un billet simple (adulte/enfant 40/30 DKK) autorise un seul trajet et le forfait d'une journée (adulte/enfant 60/40 DKK) permet de circuler librement. Départs de Nyhavn toutes les 45 à 60 minutes (10h-17h30, mi-mai à début septembre). Voir aussi p. 180.

RENSEIGNEMENTS
ARGENT

La monnaie nationale est la couronne danoise (*danske kroner* en danois), abrégée en DKK sur les marchés monétaires internationaux et en kr au Danemark.

Une couronne est composée de 100 øre. Il existe des pièces de 25 et 50 øre, 1, 2, 5, 10 et 20 couronnes, ainsi que des billets de 50, 100, 200, 500 et 1 000 DKK.

BANQUES ET DAB

Les nombreuses banques installées au centre-ville sont généralement ouvertes de 10h à 16h en semaine (jusqu'à 18h le jeudi). La plupart disposent de DAB accessibles 24h/24 et fonctionnant en plusieurs langues. Les banques de l'aéroport et de la gare centrale pratiquent des horaires plus larges et ouvrent le week-end.

CHANGE

L'agence Danske Bank de l'aéroport change les devises et accorde des avances sur les cartes de crédit. Si vous arrivez au Danemark à bord d'un ferry international, vous devriez pouvoir changer vos dollars et devises européennes à bord. Si le dollar américain reste la monnaie la plus commode, les banques danoises changent un grand nombre de devises étrangères, dont l'euro, le dollar canadien, le franc suisse et la couronne suédoise.

Les agences suivantes sont fiables et bien situées :
Danske Bank Airport (hall des arrivées et des transits ; ☏ 6h-22h)
Forex Central Station (☎ 33 11 22 20 ; gare centrale ; ☏ 8h-21h)
Forex Gothersgade (☎ 33 11 27 00 ; Gothersgade 8 ; ☏ 10h-18h lun-ven)
Forex Nørreport (☎ 33 32 81 00 ; Nørre Voldgade 90 ; ☏ 9h-19h lun-ven, 10h-16h sam)

CARTES DE CRÉDIT

Les cartes bancaires Visa et MasterCard sont utilisables dans tout le Danemark, mais un supplément de 3,5% est souvent appliqué. Beaucoup de magasins et de supermarchés n'acceptent que les cartes de la banque danoise Dankort. L'usage des cartes de crédit Amex et Diners Club est moins répandu.

En cas de perte ou de vol de votre carte de crédit, contactez la société émettrice le plus rapidement possible. Voici leurs coordonnées à Copenhague :
Amex (☎ 70 20 70 97)
Diners Club (☎ 36 73 73 73)
MasterCard, Access, Eurocard (☎ 80 01 60 98)
Visa (☎ 80 01 02 77)

CIRCUITS ORGANISÉS
CROISIÈRES

Il est impensable de visiter Copenhague sans monter dans un bateau. C'est un moyen remarquable de découvrir la ville et en particulier l'envers de son décor touristique. Deux opérateurs proposent des croisières commentées en été : **DFDS** (☎ 32 96 30 00 ; www.canaltours.com ; départs de Nyhavn et Gammel Strand ; adulte/enfant 60/40 DKK ; ⏱ 9h15 puis toutes les 15 minutes jusqu'à 17h30 mi-mai à mi-juin, jusqu'à 19h30 mi-juin à début sept, jusqu'à 17h mi-mars à mi-mai et début sept-oct, 10h puis toutes les 75 minutes jusqu'à 15h nov à mi-mars ; Ⓜ Kongens Nytorv ; 🚌 15, 19, 26, 1A) et **Netto Boats** (☎ 32 54 41 02 ; www.havnerundfart.dk ; départs de la Holmens Kirke et de Nyhavn ; adulte/enfant 30/15 DKK ; ⏱ 10h-17h 2-5 départs/heure, fin mars à mi-oct, 10h-19h juil-août ; 🚌 6A).

Sachez que la plupart des bateaux n'offrent aucun abri aux passagers, qui se trouvent exposés aux caprices du temps. FDS organise aussi des croisières à thème (concerts de jazz), comprenant le déjeuner ou le dîner (détails sur le site Internet). Les deux opérateurs suivent les mêmes parcours le long des principaux sites touristiques : Nyhavn, la Petite Sirène, Holmen, Christianshavn, le port et le canal autour de Slotsholmen. DFDS propose des bateaux couverts et chauffés en hiver (10h et toutes les 75 minutes jusqu'à 15h de nov à mi-mars) ; des circuits au départ du Marriott Hotel (9h de mi-mars à oct) ; et 10 navettes fluviales quotidiennes (montée/descente libre) de 10h à 17h30 de mi-mai à début sept (parcours et horaires sur www.canaltours.com).

À PIED ET À VÉLO

Les étudiants de l'université de Copenhague proposent des **joggings guidés** (☎ 20 29 64 19 ; www.joggingtours.dk ; 200 DKK), avec trois itinéraires au choix : parcours royal, Nørrebro ou Frederiksberg.

Les passionnés de jazz peuvent découvrir le riche passé musical de la ville avec le **circuit jazz** (☎ 33 45 43 19 ; www.jazzguides.dk ; 850 DKK) de l'Association danoise du jazz, comprenant un dîner (2-3 plats, vin inclus) et l'entrée dans deux ou trois clubs.

Copenhagen Walking Tours (☎ 40 81 12 17 ; www.copenhagen-walkingtours.dk) organise divers circuits pédestres à thème moyennant environ 100 DKK par personne. **History Tours** (☎ 28 49 44 35 ; www.historytours.dk ; tarifs variables) propose diverses promenades historiques dans le centre-ville, au départ de l'Højbro Plads. Pour aller plus vite, essayez les circuits à vélo de **Bike Copenhagen with Mike** (☎ 26 39 56 88 ; www.bikecopenhagenwithmike.dk), qui démarrent du n°10 Turesensgade (carte p. 127, D2), juste à l'ouest des

Ørsteds Parken ; le visiteur peut choisir le thème de la visite.

Pour une expérience originale, contactez **Nightlife Friend** (www.nightlifefriend.is), une agence créée à Reykjavik et désormais implantée à Copenhague et Stockholm. Moyennant 450 $US, un noctambule copenhaguois vous mènera (avec quatre de vos amis) dans les endroits les plus branchés de la ville le week-end (de 22h à 3h, vendredi et samedi), avec une entrée VIP dans les clubs.

Ghost Tours (adulte/enfant 100/70 DKK) propose une promenade de 1 heure 30 sur les sites hantés de la capitale. Départ de Nyhavn à 20h sur réservation (visites en anglais uniquement en été).

HANDICAPÉS

La municipalité fait de son mieux pour accueillir les visiteurs à mobilité réduite, mais les équipements restent très variables. Au centre-ville, l'accès aux immeubles se fait souvent par un sous-sol ou un étage, avec une entrée trop étroite pour y installer une rampe. Si la majorité des grands sites et musées est bien équipée, les vieux hôtels et magasins du centre sont souvent inaccessibles. Le **Dansk Handicap Forbund** (☎ 39 29 35 55 ; www.danskhandicapforbund.dk ; Kollektivhuset, Hans Knudsens Plads 1A) fournit sur le site www.tbasen.dk une liste d'hôtels, de restaurants, de musées, d'églises et de salles de spectacles accessibles aux handicapés dans la région de Copenhague. Les informations sont en danois, mais vous pouvez poser vos questions par e-mail. L'**Association danoise pour l'accessibilité** (☎ 35 24 80 90 ; www.godadgang.dk ; Vodroffsvej 32) renseigne également sur les lieux et les services adaptés aux visiteurs handicapés.

HEURES D'OUVERTURE

En général, les magasins sont ouverts de 9h30-10h à 18h-19h du lundi au vendredi, et jusqu'à 15h-16h le samedi. La plupart des boutiques ferment le dimanche, à l'exception des boulangers et des fleuristes. Certains "kiosques" et épiciers de quartier, ainsi que quelques supermarchés Netto restent ouverts le dimanche, de même que les magasins de la gare centrale. Un assouplissement de la réglementation permet aux commerces d'ouvrir leurs portes plusieurs dimanches dans l'année, mais rares sont ceux qui en profitent. Les bureaux sont en principe ouverts du lundi au vendredi, de 9h-10h à 16h-17h.

Les Danois vont au restaurant assez tôt, vers 19h ou 19h30. La plupart des cuisines arrêtent le service à 22h et les clients quittent généralement les restaurants vers 23h30 ou minuit.

INTERNET

Beaucoup de cafés et d'hôtels proposent un accès Wi-Fi.

Le cybercafé le plus pratique est **Sidewalk Express** (carte p. 41, B4 ; ☎ 80 88 27 04 ; www.sidewalkexpress.com ; gare centrale, Bernstorffsgade ; 29 DKK/90 minutes ; 🕐 11h-17h30 lun-jeu, 11h-18h ven, 10h-15h sam), dans la gare centrale.

JOURS FÉRIÉS

Les vacances scolaires d'été commencent vers le 20 juin et se terminent vers le 10 août. Les écoles ferment une semaine mi-octobre et fin février, ainsi que pour les fêtes de fin d'année. Beaucoup de Danois prennent leurs congés annuels pendant les trois premières semaines de juillet.

Les banques et la majorité des bureaux sont fermés les jours fériés, et les transports circulent moins fréquemment.

Voici les jours fériés au Danemark :
Jour de l'An (Nytårsdag) 1ᵉʳ janvier
Jeudi saint (Skærtorsdag) jeudi précédant Pâques
Vendredi saint (Langfredag) vendredi précédant Pâques
Pâques (Påskedag) un dimanche de mars ou d'avril
Lundi de Pâques (2.påskedag) lendemain de Pâques
Jour de prières (Stor Bededag) quatrième vendredi après Pâques
Ascension (DKKisti Himmelfartsdag) sixième jeudi après Pâques

Pentecôte (Pinsedag) septième dimanche après Pâques
Lundi de Pentecôte (2.pinsedag) huitième lundi après Pâques
Fête de la Constitution (Grundlovsdag) 5 juin
Réveillon de Noël 24 décembre (à partir de midi)
Noël (Juledag) 25 décembre
Saint-Étienne (2.juledag) 26 décembre

LANGUE
EXPRESSIONS COURANTES

Bonjour (poli/familier)	*Goddag/Hej*
Au revoir	*Farvel*
Excusez-moi/pardon.	*Undskyld.*
Oui	*Ja*
Non	*Nej*
Merci	*Tak*
Je vous en prie.	*Selv tak*
D'où venez-vous ? (poli/familier)	*Hvor kommer De/du fra?*
Je viens de ...	*Jeg er fra ...*
Parlez-vous anglais ?	*Taler De engelsk?*
Je ne comprends pas.	*Jeg forstår ikke.*

ALIMENTATION ET BOISSONS

C'était délicieux !	*Det var lækkert!*
Je suis végétarien(ne).	*Jeg er vegetar.*
L'addition s'il vous plaît.	*Regningen, tak.*
Délicieux !	*Lækkert!*

Spécialités locales

Æggekage	Œufs brouillés au lard
Flæskesteg	Rôti de porc à la couenne, accompagné

	de pommes de terre et de chou	3	*tre*
Frikadeller	Boulettes au porc grillées, servies avec des pommes de terre à l'eau et du chou rouge	4	*fire*
		5	*fem*
		6	*seks*
		7	*syv*
		8	*otte*
		9	*ni*
Gravad laks	Saumon fumé ou salé, mariné avec de l'aneth et accompagné d'une sauce à la moutarde sucrée	10	*ti*
		11	*elve*
		12	*tolv*
		20	*tyve*
		21	*enogtyve*
Stegt flæsk	Poitrine de porc frite, servie avec des pommes de terre et une sauce au persil	100	*hundrede*
		1 000	*tusind*

SHOPPING

| Combien ça coûte ? | *Hvor meget koster det?* |
| C'est trop cher. | *Det er for dyrt.* |

URGENCES

Je suis malade.	*Jeg er syg.*
Au secours !	*Hjælp!*
Appelez la police.	*Ring efter politiet!*
Appelez une ambulance.	*Ring efter en ambulance!*

JOURS ET CHIFFRES

aujourd'hui	*i dag*
demain	*i morgen*
hier	*i går*
0	*nul*
1	*en*
2	*to*

OFFICES DU TOURISME

Le **Copenhagen Visitor Centre** (carte p. 41, B3 ; ☎ 70 22 24 42 ; www.visitcopenhagen. com ; Vesterbrogade 4A ; 9h-16h lun-ven, 9h-14h sam jan-avr et fin sept-déc, 9h-18h lun-sam, 10h-14h dim mai-juin, 9h-20h lun-sam, 10h-18h dim juil-août, 9h-18h lun-sam début-fin sept ; S-tog Gare centrale, Vesterport ; 1A, 2A, 5A, 6A), face à l'entrée principale de Tivoli, vous renseignera sur Copenhague et le Danemark. Son service de réservation hôtelière de dernière minute propose des chambres à moitié prix.

POURBOIRE

Le service est compris sur les additions des restaurants et les Copenhaguois sont avares en pourboire. Vous pouvez laisser 10% de la note si vous êtes satisfait du service.

CARNET PRATIQUE

TARIFS RÉDUITS

La Copenhagen Card (carte de 24 heures adulte/enfant 10-15 ans 239/125 DKK ; 72 heures 469/235 DKK) permet d'accéder librement à une soixantaine de musées de la capitale et des environs, ainsi qu'aux transports en commun (S-tog, métro et bus) des neuf zones de tarification. La carte n'est pas toujours avantageuse dans la mesure où la plupart des musées sont gratuits ou ouvrent gratuitement un jour par semaine.

TÉLÉPHONE

Pour appeler au Danemark depuis l'étranger, composez le **code d'accès international** (☎ 00, ou ☎ 011 depuis le Canada), puis l'indicatif du Danemark (☎ 45).

Pour appeler la France, la Belgique ou la Suisse depuis le Danemark, composez le 00, suivi de l'**indicatif du pays** (☎ 33 pour la France, ☎ 32 pour la Belgique, ☎ 41 pour la Suisse), suivi du numéro de votre correspondant sans le 0 initial. Pour appeler le Canada depuis le Danemark, composez le ☎ 00,

suivi du 1 et du numéro de votre correspondant.

Les cabines publiques fonctionnent avec des pièces ou une carte *telekort*, vendue dans les kiosques et les bureaux de poste.

URGENCES

Copenhague est une ville relativement sûre, le risque principal provenant de personnes ivres ou de pickpockets – uniquement tard le soir et dans les quartiers touristiques. Pour appeler la police, une ambulance ou les pompiers, composez le ☎ 112.

Le **bureau de la police centrale** (carte p. 127, D3 ; ☎ 33 25 14 48) le plus accessible se situe au 20 Halmtorvet, à Vesterbro. Vous trouverez une pharmacie ouverte 24h/24, la **Steno Apotek** (carte p. 41, B4 ; ☎ 33 14 82 66 ; Vesterbrogade 6, Vesterbro), près de la gare centrale. Le service d'urgences le plus central se trouve au **Frederiksberg Hospital** (carte p. 127, B1 ; ☎ 38 16 35 22 ; www.frederiksberghospital. dk ; Nordre Fasanvej 58, Frederiksberg ; Ⓜ Fasanvej ; 🚌 29 depuis la Rådhusplads).

>INDEX

Reportez-vous aussi aux index Voir *(p. 189),* Shopping *(p. 190),* Se restaurer *(p. 191),* Prendre un verre *(p. 192),* Sortir *(p. 192)* et Se loger *(p. 192).*

Classement alphabétique
Les noms commençant par les lettres å, æ et ø se trouvent à la fin du classement alphabétique.

A
Amager Strandpark 94
Amalienborg Slot 80
Andersen, Hans Christian 45, 82, 90, 104, 167
architecture 148
argent 179
arts 88, 164, *voir aussi* l'index Voir
Assistens Kirkegård 104
avion 175

B
Bakken 24, 107
bars et cafés, *voir aussi les index* Prendre un verre, Se restaurer *et* Sortir
    Christianshavn 100
    Frederiksberg 133
    Malmö 143
    Nyhavn 90
    Nørrebro 111
    Nørreport 124
    Rådhuspladsen 47
    Strøget 67
    Tivoli 47
    Vesterbro 133

Østerbro 111
Østerport 124
bateau 180
billets et titres de transport 177
Black Diamond 75
Børsen 74
Botanisk Have 118
bus 178

C
cafés, *voir* bars et cafés
Calabria 123
Caritas Springvandet 51
Carlsberg, centre des visiteurs 128
cartes de crédit 179
châteaux, *voir* l'index Voir
Christiania 12, 94
Christians Kirke 94
Christiansborg, ruines 74
Christiansborg Slot 72
Christiansborg Slotskirke 74
Christianshavn 92, **93**
cimetière 104
cinéma 49, 70, 125, 135
    festivals 24, 28, 29
circuits organisés 144, 180
Cirkusbygningen 40
cuisine 17, 98, 132, 158, 159
    voir aussi restaurants et l'index Se restaurer

D
DAB 179
Dansk Design Center 42
Dansk Jødisk Museum 74
Davids Samling 118

De Kongelige Stalde & Kareter 75
Den Hirschsprungske Samling 118
design 19, 27, 84, 164
Det Kongelige Bibliotek 75
Dine with the Danes 132
discothèques, *voir* l'index Sortir
Domhuset 51
Donaldson, Mary 80
Dyrehaven 107

E
églises, *voir* l'index Voir
enfants, voyager avec des 151
environnement 165
événements 23
Experimentarium 104

F
Fælledparken 105
fêtes et festivals 20, 23
    bière 25
    cuisine 28
    design 27
    cinéma 24, 28, 29
    gay et lesbien 28
    musique 20, 24, 26, 27, 154
    Roskilde 20, 26, 154
Folketinget 76
Frederik, prince 80
Frederiksberg 126, **127**
Frederiksberg Have 128
Frederiksberg Slot 113
Frederikskirken 83
Frihedsmuseet 80

G
galeries *voir* l'index Voir
Gammel Strand 51
gays, voyageurs 28, 160
gouvernement 166

H
handicapés, voyageurs 181
Hay House 59
hébergement 169
Helligåndskirken 54
heures d'ouverture 181
histoire 162
Høeg, Peter 167
Holmens Kirke 76
hôtels 169
hygge 152

I
Internet 182
Islands Brygge 92, **93**
Islands Brygge Havnebadet
  100
itinéraires 33

J
Jacobsen, Arne 148, 164
jardins, *voir* l'index Voir
jazz 20, 24, 27, 155
jours fériés 24, 25, 30, 182

K
Kastellet 81
Kierkegaard, Søren 55, 167
Københavns Bymuseet 128
Koncertsal et Plænen (Tivoli)
  49
Kongens Have 119
Kransekagehus 66
Kronborg Slot 145
Kulturhavn 27
Kulturnatten 29

Kunstforeningen GL Strand 54
Kunsthal Charlottenborg 81
Kunsthallen Nikolaj 54
Kunstindustrimuseet 82

L
langue 182
Larsen, Henning 151
lesbiennes, voyageuses
  28, 160
littérature 166
Louisiana, Museum of Modern
  Art 14, 104
Lykkeberg, Toke 88

M
Malmö 138, **139**
Malmö Konsthall 140
Malmöhus Slott 140
marathon 26
Margrethe II 80
Marmorkirken 82
Mary, princesse 80
Medicinsk Museum 83
métro 177
mode 60, *voir aussi* l'index
  Shopping
monarchie 80, 166
MS *Sagafjord* 43
Musée botanique 118
musées, *voir* l'index Voir
musique 123, 154, *voir aussi*
  l'index Sortir
    festivals 20, 24, 26,
      27, 154

N
Nationalmuseet 16, 42
navettes fluviales 178
Noël 30
Noma 99
    Redzepi, René 97, 161
Nørrebro 18, 102, **103**
Nørreport 116, **117**

Ny Carlsberg Glyptotek 42
Nyhavn 78, **79**

O
observatoire 11, 55
offices du tourisme 183
Opéra de Copenhague 100

P
palais, *voir* l'index Voir
parcs, *voir* l'index Voir
parcs de loisirs
    Bakken 24, 107
    Tivoli 10, 25, 44, 49,
      151, **41**
Parken 115
Petite Sirène 82
Pisserenden 55
Plænen (Tivoli) 49
plages 94
police 184
politique 166
pompiers 184
pourboire 183
prix, *voir l'intérieur de la page
  de couverture*
promenades 156, 180

Q
Quartier latin 54

R
Rådhuset 43
Rådhuspladsen 40, **41**
Rådhusplads, *voir*
  Rådhuspladsen
Redzepi, René 97, 159
reine 25, 80
restaurants, *voir aussi* cuisine
  et l'index Se restaurer
    Christianshavn et Islands
      Brygge 96
    Frederiksberg 130
    Malmö 142

Pages des cartes en **gras**

Nyhavn 85
Nørrebro 108
Nørreport 122
Rådhuspladsen 46
Slotsholmen 77
Strøget 65
Tivoli 46
Vesterbro 130
Østerbro 108
Østerport 122
Ribersborgs Kallbadhus 140
Rosenborg Slot 15, 120
Roskilde, festival 20, 26, 154
Rundetårn 11, 55
Rune RK 123

S
Sander, Stephan 114
Seconde Guerre mondiale 163
shopping 153, *voir aussi* l'index Shopping
Malmö 141
Nyhavn 83
Nørrebro 105
Nørreport 120
Rådhuspladsen 45
Strøget 56
Vesterbro 130
Østerbro 105
Skibsted, Jens Martin 48
Skuespilhuset (Théâtre royal danois) 91
Slotsholmen 72, **73**
smørrebrød 17, *voir aussi* l'index Se restaurer
sports 115, 135
Statens Museum for Kunst 22, 120
S-tog 177
Strædet 55
Strøget 50, **52**
Suède 138

T
taux de change, *voir l'intérieur de la page de couverture*
taxi 178
Teatermuseet 77
téléphone 184
théâtre 71, 90
Théâtre royal 90
Thorvaldsens Museum 77
Tivoli 10, 25, 44, 153, **41**
Koncertsal et Plænen 49
Tøjhusmuseet 77
train 178
Turning Torso 141
TVA 153

U
urgences 184

V
vélo 48, 150, 176, 180
Vesterbro 126, **127**
vie nocturne, *voir* l'index Sortir
vikings 16, 43
Vor Frue Kirke 56

W
Wackerhausen, Trine 60

Z
zoo 129
Zoologisk Have 129
Zoologisk Museum 105

Ø
Østerbro 102, **103**
Østerport 116, **117**

VOIR
Châteaux et palais
Amalienborg Slot 80
Christiansborg Slot 72
Frederiksborg Slot 113
Kronborg Slot 145
Malmöhus Slott 140
Rosenborg Slot 15, 120

Cimetière
Assistens Kirkegård 104

Édifices importants
Børsen 74
Caritas Springvandet 51
Christiansborg, ruines 74
Det Kongelige Bibliotek 75
Domhuset 51
Folketinget 76
Kastellet 81
Ribersborgs Kallbadhus 140
Rundetårn 55
Rådhuset 43
Turning Torso 141

Églises
Christians Kirke 94
Christiansborg Slotskirke 74
Frederikskirken 83
Helligåndskirken 54
Holmens Kirke 76
Marmorkirken 82
Vor Frelsers Kirke 96
Vor Frue Kirke 56

Galeries
Arken 131
BKS Garage 129
Den Hirschsprungske Samling 118
Galleri Christina Wilson 81
Galleri Nicolai Wallner 129
Gammel Dok 95
IMO 129
Kunstforeningen GL Strand 54
Kunsthal Charlottenborg 81
Kunsthallen Nikolaj 54
Louisiana Museum for Modern Art 14, 104

Malmö Konsthall 140
Nils Stærk 129
Ny Carlsberg Glyptotek 42
Ny Carlsberg Vej 68 129
Ordrupgaard 108
Overgaden 95
Statens Museum for Kunst 22, 120
V1 Gallery 129

Musées
Carlsberg, centre des visiteurs 128
Dansk Design Center 42
Dansk Jødisk Museum 74
Davids Samling 118
De Kongelige Stalde & Kareter 75
Experimentarium 104
Frihedsmuseet 80
Kunstindustrimuseet 82
Københavns Bymuseet 128
Louisiana Museum of Modern Art 104
Medicinsk Museum 83
Moderna Museet Malmö 140
Nationalmuseet 16, 42
Teatermuseet 77
Thorvaldsens Museum 77
Tøjhusmuseet 77
Zoologisk Museum 105

Parcs de loisirs
Bakken 24, 107
Tivoli 10, 25, 44, 49, 153, **41**

Parcs et jardins
Dyrehaven 107
Frederiksberg Have 128
Fælledparken 105
Kongens Have 119

Pages des cartes en **gras**

Rues et quartiers
Christiania 12, 94
Gammel Strand 51
Pisserenden 55
Quartier latin 54
Strædet 55

Zoo
Zoologisk Have 129

📷 SHOPPING
Alimentation
Peter Beier 64

Antiquités et ameublement
Antikhallen 105
Normann 107

Art et design
Designer Zoo 130
Form/Design Center 141
Galerie Asbæk 84

Bijoux
Hoff 61

Céramiques
Keramik Og Glasværkstedet 84
Stilleben 64

Chaussures
Frogeye 106
Toffelmakaren 142

Décoration et articles pour la maison
Casa Shop 59
Designer Zoo 130
Form/Design Center 141
Frydendahl 59
Georg Jensen 59
Hay House 59
Le Klint 62

Louis Poulsen 62
Normann 107
Olsson & Gerthel 142
Porcelain Royal Copenhagen 64

Électronique
Bang & Olufsen 84

Grand magasin
Magasin du Nord 63

Livres
Nordisk Korthandel 63
Politikens Boghallen 46

Mode
Birger Christensen 58
Bruuns Bazaar 58
Day Birger Mikkelsen 59
Filippa K 59
Frederiksen 106
FRK. Lilla 121
Fünf 107
Henrik Vibskov 61
Kendt 121
Normann 107
Pop Cph 64
Rützou 64
Storm 64
Velour 107

Objets érotiques
Lust 63

Sacs et chapeaux
Last Bag 121
Susanne Juul 84

Santé et beauté
Matas 63

🍴 SE RESTAURER
Asiatique
Wokshop Cantina 89

Bars
Dyrehaven 131
Kalaset 122

Boulangeries
Emmerys 87
Kiosque à hot-dog d'Andersen 46
Kransekagehus 66
Lagkagehuset 98

Cafés
Café Wilder 98
Dyrehaven 131
Granola 132
Kalaset 122
La Glace 66
Laundromat Café 112
Lyst Café 110
Sweet Treat 99
Taste 89
Tobi's Café 100

Danois
Aamanns Takeaway 122
Bastionen og Løven 98
Café du musée des PTT 66
Cap Horn 85
Dag H 108
Fru Heiberg 109
Grøften 47
Kaffesalonen 110
Ofelia 87
Orangeriet 122
Restaurant AOC 89
Restaurant d'Angleterre 89
Royal Café 66
Salt 89
Schønnemann 67
Slotskælderen Hos Gitte Kik 67
Søren K 77

Européen moderne
1.th 85
Bastard 142

Mielcke & Hurtigkarl 132
Paté Paté 133
Paul 47

Français
Café a Porta 65
Café Victor 65
Cofoco 130
Dag H 108
Fru Heiberg 109
Kaffesalonen 110
Le Sommelier 87
Les Trois Cochons 132
Numéro 64 110
Restaurant d'Angleterre 89
Salt 89
Årstiderna i Kockska Huset 143

Franco-danois
Den Gule Cottage 94
Numéro 64 110

Fruits de mer
Kødbyens Fiskebar 132

Glacier
Siciliansk Is 133

International
Apropos 130
Bio Mio 130
Bodega 108
Custom House 86
Pussy Galore's Flying Circus 110
Spiseloppen 99
Viva 100

Italien
Alberto K 46
Famo 131
Fischer 109

Japonais
Damindra 87
Sticks 'N' Sushi 122

Méditerranéen
Aristo 96

Nordique moderne
Noma 99
Trio 142

Smørrebrød
Aamanns Takeaway 122
Cap Horn 85
Schønnemann 67
Slotskælderen Hos Gitte Kik 67

Suédois
Victors 143
Årstiderna i Kockska Huset 143

Thaïlandais
Kiin Kiin 110

Végétarien
42°Raw 65
Café Ñ 108
Morgenstedet 98

ⓨ PRENDRE UN VERRE

Bars
1105 67
Bakken 133
Bang og Jensen 133
Bankeråt 122
Belle Epoque 143
Bibendum 124
Bjørgs 47
Café Bopa 111
Falernum 134
Harbo Bar 112
Jailhouse CPH 68
Karriere 134
K-Bar 68
Library Bar 47
Nimb Bar 49
Nørrebro Bryghus 113

Oak Room 113
Ruby 68
Salon 39 134
Sofie Kælderen 100
Sporvejen 69
Tempo Bar & Kök 144
Union Bar 90
Zoo Bar 69

Bars gay
Jailhouse CPH 68
Never Mind 68

Cafés
Bang og Jensen 133
Bjørgs 47
Coffee Collective 111
Kaffe & Vinyl 134
Old Mate 125
Ricco's Coffee Bar 134
Solde 143
Zirup 69

Pub
Palæ Bar 90

Restaurant
Belle Epoque 143

Salon de thé
Tea Time 113

⭐ SORTIR

Bars
Huset 71
Jolene Bar 135

Cinémas
Filmhusets Cinematek 125
Grand Teatret 70
Huset 71
Imax Tycho Brahe Planetarium 135
Palads 49

Croisières
Rundan Canal Tours 144

Danse
Dansescenen 135

Détente
Islands Brygge Havnebadet 100

Discothèques
Culture Box 125
Debaser 144
Gefärlich 115
Huset 71
Jolene Bar 135
Kulturbolaget 144
Rust 115
Simons 91
Vega 135

Musique
Copenhagen Jazzhouse 70
Debaser 144
Forum 135
Jazzhus Montmartre 71
Koncerthuset 101
Københavns Musikteater 71
La Fontaine 71
Loppen 101
Mojo 49
Parken 115
Koncertsal et Plænen
  (Tivoli) 49
Vega 135

Sport
DGI Byen 135
Parken 115

Théâtre
Det Kongelige Teater
  (Théâtre royal) 90
Københavns Musikteater 71
Skuespilhuset
  (Théâtre royal danois) 91

🏠 SE LOGER
Rådhuspladsen et Tivoli
CabInn hotels 170
Danhotel Copenhagen City 17
Hotel Alexandra 171
Hotel Ascot 170
Hotel Fox 171
Hotel Kong Frederik 171
Hotel Sankt Thomas 170
Hotel Twentyseven 171
Radisson Blu Royal Hotel 171
The Square 170

Strøget et le quartier latin
First Hotel Sankt Petri 172

Nyhavn
71 Nyhavn Hotel 172
Copenhagen Strand 172
Hotel d'Angleterre 172
Scandic front 172

Nørreport
Hotel Kong Arthur 173
Ibsens Hotel 173

Vesterbro
Hotel Guldsmeden 174
Savoy Hotel 173
Tiffany 173

Agglomération de Copenhague
Charlottenlund Fort 174
Danhostel Copenhagen
  Bellahøj 174

Pages des cartes en **gras**

INDEX